C0-ASJ-726

К***

Я помню чудное мгновенье:
Передо мной явилась ты,
Как мимолетное виденье,
Как гений чистой красоты.

В томленьях грусти безнадежной,
В тревогах шумной суеты,
Звучал мне долго голос нежный
И снились милые черты.

Шли годы. Бурь порыв мятежный
Рассеял прежние мечты,
И я забыл твой голос нежный,
Твои небесные черты.

В глуши, во мраке заточенья
Тянулись тихо дни мои
Без божества, без вдохновенья,
Без слез, без жизни, без любви.

Душе настало пробужденье:
И вот опять явилась ты,
Как мимолетное виденье,
Как гений чистой красоты.

И сердце бьется в упоенье,
И для него воскресли вновь
И божество, и вдохновенье,
И жизнь, и слезы, и любовь.

А. С. Пушкин

ЧУДНОЕ МГНОВЕНЬЕ

Любовная лирика
русских поэтов

Книга 1

Москва
«Художественная литература»
1988

ББК 84Р1
Ч-84

Классики и современники

*Поэтическая
библиотека*

Составление Л. Озерова

**Оформление художника
А. Озеревской**

Ч $\dfrac{4702010100\text{-}121}{028(01)\text{-}88}$ 29-88

ISBN 5—280—00050—7
ISBN 5—280—00049—3

© Состав, оформление. Издательство «Художественная литература», 1988 г.

ВАСИЛИЙ КИРИЛЛОВИЧ ТРЕДИАКОВСКИЙ

1703—1768

СТИХИ ИЗ РОМАНА «ЕЗДА В ОСТРОВ ЛЮБВИ»

* * *

Перестань противляться сугубому жару:
    Две девы в твоем сердце вмястятся без свару,
Ибо ежель без любви нельзя быть счастливу,
    То кто залюбит больше,
    Тот счастлив есть надольше.
Люби Сильвию красну, Ирису учтиву,
    И еще мало двух, быть коли надо чиву.

Мощной богини любви сладость так есть многа,
    Что на ста олтарях ей жертва есть убога.
Ах! Коль есть сладко сердцу на то попуститься!
    Одна любить не рада?
    То другу искать надо,
Дабы не престать когда в похоти любиться
    И не позабыть того, что в любви чинится.

Не печалься, что будешь столько любви иметь:
    Ибо можно с услугой к той и другой поспеть.
Льзя удоволить одну, так же и другую;
    Часов во дни довольно,
    От той с другой быть вольно.
Удоволив первую, доволь и вторую,
    А хотя и десяток, немного сказую!

1730

* * *

Не кажи больше моей днесь памяти слабкой,
Что невозможно в свете жить без любви сладкой,
Не кажи, мое сердце, надобно, чтоб Слава
Больше тысячи Филис возымела права.
Ступай и не противься куды ведет тая:
Сей любви не может быть лучше иная.
Ты выграшь сей пременой: Слава паче красна,
Нежель сто Аминт, Ирис, Сильвий, и всем ясна.

1730

МИХАИЛ ВАСИЛЬЕВИЧ ЛОМОНОСОВ

1711—1765

* * *

Ночною темнотою
Покрылись небеса,
Все люди для покою
Сомкнули уж глаза.
Внезапно постучался
У двери Купидон,
Приятной перервался
В начале самом сон.
«Кто так стучится смело?» —
Со гневом я вскричал.
«Согрей обмерзло тело, —
Сквозь дверь он отвечал. —
Чего ты устрашился?
Я мальчик, чуть дышу,
Я ночью заблудился,
Обмок и весь дрожу».
Тогда мне жалко стало,
Я свечку засветил,
Не медливши нимало,
К себе его пустил.
Увидел, что крилами

Он машет за спиной,
Колчан набит стрелами,
Лук стянут тетивой.
Жалея о несчастье,
Огонь я разложил
И при таком ненастье
К камину посадил.
Я теплыми руками
Холодны руки мял,
Я крылья и с кудрями
До су́ха выжимал.
Он чуть лишь ободрился,
«Каков-то, — молвил, — лук,
В дожде, чать, повредился»,
И с словом стре́лил вдруг.
Тут грудь мою пронзила
Преострая стрела
И сильно уязвила,
Как злобная пчела.
Он громко рассмеялся
И тотчас заплясал.
«Чего ты испугался? —
С насмешкою сказал. —
Мой лук еще годится,
И цел, и с тетивой;
Ты будешь век крушиться
Отнынь, хозяин мой».

⟨1747⟩

АЛЕКСАНДР ПЕТРОВИЧ СУМАРОКОВ

1717—1777

ОДА АНАКРЕОНТИЧЕСКАЯ

Пляскою своей, любезна,
Разжигай мое ты сердце,
Пением своим приятным
Умножай мою горячность.
Моему, мой свет, ты взору,
Что ни делаешь, прелестна,
Всё любовь мою питает
И мое веселье множит.
Обольщай мои ты очи.
Пой, пляши, играй со мною.
Бей в ладони и, вертяся,
Ты руками подпирайся.
Руки я твои прекрасны
Целовал неоднократно:
Мной бесчисленно целован
Всякий рук твоих и палец.

⟨1755⟩

* * *

Летите, мои вздохи, вы к той, кого люблю,
И горесть опишите, скажите, как терплю;
Останьтесь в ея сердце, смягчите гордый взгляд
И после прилетите опять ко мне назад;
Но только принесите приятную мне весть,
Скажите, что еще мне любить надежда есть.
Я нрав такой имею, чтоб долго не вздыхать,
Хороших в свете много, другую льзя сыскать.

⟨1755⟩

СОНЕТ

Не трать, красавица, ты времени напрасно,
Любися; без любви всё в свете суеты,
Жалей и не теряй прелестной красоты,
Чтоб больше не тужить, что век прошел несчастно.

Любися в младости, доколе сердце страстно:
Как младость пролетит, ты будешь уж не ты.

Плети себе венки, покамест есть цветы,
Гуляй в садах весной, а осенью ненастно.

Взгляни когда, взгляни на розовый цветок,
Тогда когда уже завял ея листок:
И красота твоя, подобно ей, завянет.

Не трать своих ты дней, доколь ты нестара,
И знай, что на тебя никто тогда не взглянет,
Когда, как розы сей, пройдет твоя пора.

⟨1755⟩

ЭЛЕГИЯ

В болезни страждешь ты... В моем нет сердце мочи
Без крайней горести воззрети на тебя.
Восплачьте вы, мои, восплачьте, смутны очи,
Пустите токи слез горчайших из себя!
Рок лютый, умягчись, ты паче мер ужасен,
Погибни от моих отягощенных дум
И сделай, чтобы страх и трепет был напрасен!
Пронзенна грудь моя, и расточен весь ум.
О яростны часы! Жестокой время муки!
Я всем терзаюся, что в мысли ни беру.
Стерплю ли я удар должайшия разлуки,
Когда зла смерть... И я, и я тогда умру.

Такою же сражусь, такою же судьбою,
В несносной жалости страдая и стеня.
Умру, любезная, умру и я с тобою,
Когда сокроешься ты вечно от меня.

⟨1760⟩

* * *

Прости, моя любезная, мой свет, прости,
Мне сказано назавтрее в поход ийти;
 Не ведомо мне то, увижусь ли с тобой,
 Ин ты хотя в последний раз побудь со мной.

Покинь тоску, иль смертный рок меня унес?
Не плачь о мне, прекрасная, не трать ты слез.
 Имей на мысли то к отраде ты себе,
 Что я оттоль с победою приду к тебе.

Когда умру, умру я там с ружьем в руках,
Разя и защищаяся, не знав, что страх;
 Услышишь ты, что я не робок в поле был,
 Дрался с такой горячностью, с какой любил.

Вот трубка, пусть достанется тебе она!
Вот мой стакан, наполненный еще вина;
 Для всех своих красот ты выпей из него,
 И будь ко мне наследницей лишь ты его.

А если алебарду заслужу я там,
С какой явлюся радостью к твоим глазам!
    В подарок принесу я шиты башмаки,
    Манжеты, опахало, щегольски чулки.

⟨1770⟩

* * *

Если девушки метрессы,
Бросим мудрости умы;
Если девушки тигрессы,
Будем тигры так и мы.

Как любиться в жизни сладко,
Ревновать толико гадко,
Только крив ревнивых путь,
Их нетрудно обмануть.

У муринов в государстве
Жаркий обладает юг.
Жар любви во всяком царстве,
Любится земной весь круг.

⟨1781⟩

АЛЕКСЕЙ АНДРЕЕВИЧ РЖЕВСКИЙ

1737—1804

ИДИЛЛИЯ

На берегах текущих рек
Пастушок мне тако рек:
«Не видал прелестнее твоего я стану,
  Глаз твоих, лица и век.
  Знай, доколь продлится век,
Верно я, мой свет, тебя, верь, любити стану».

Вздохи взор его мой зрел,
Разум был еще незрел,
Согласилась мысль моя с лестной мыслью с тою.
  Я сказала: «Будешь мой,
  Ты лица́ в слезах не мой,
Только будь лишь верен мне, коль того я сто́ю».

Страсть на лесть днесь променя,
И не мыслит про меня.
О, неверный! ныне стал пленен ты иною.
  Мне сказал: «Поди ты прочь,
  И себе другого прочь».
Как несносно стражду днесь, рвуся я и ною.

⟨1762⟩

ИППОЛИТ ФЕДОРОВИЧ БОГДАНОВИЧ

1744—1803

ПЕСНЯ

Пятнадцать мне минуло лет,
Пора теперь мне видеть свет:
В деревне все мои подружки
Разумны стали друг от дружки;
    Пора теперь мне видеть свет. 2

Пригожей все меня зовут:
Мне надобно подумать тут,
Как должно в поле обходиться,
Когда пастух придет любиться;
    Мне надобно подумать тут. 2

Он скажет: я тебя люблю,
Любовь и я ему явлю,
И те ж ему скажу три слова,
В том нет урона никакова;
    Любовь и я ему явлю. 2

Мне случай этот вовсе нов,
Не знаю я любовных слов;
Попросит он любви задаток, —
Что дать? Не знаю я ухваток;
  Не знаю я любовных слов. 2

Дала б ему я посох свой, —
Мне посох надобен самой;
И, чтоб зверей остерегаться,
С собачкой мне нельзя расстаться;
  Мне посох надобен самой. 2

В пустой и скучной стороне
Свирелки также нужны мне;
Овечку дать ему я рада,
Когда бы не считали стада;
  Свирелки также нужны мне. 2

Я помню, как была мала,
Пастушка поцелуй дала;
Неужли пастуху в награду,
За прежнюю ему досаду,
  Пастушка поцелуй дала? 2

Какая прибыль от того,
Я в том не вижу ничего:
Не станет верить он обману,
Когда любить его не стану;
  Я в том не вижу ничего. 2

Любовь, владычица сердец,
Как быть, научит наконец:
Любовь своей наградой платит
И даром стрел своих не тратит;
    Как быть, научит наконец. 2

Пастушка говорит тогда:
Пускай пастух придет сюда;
Чтоб не было убытка стаду,
Я сердце дам ему в награду;
    Пускай пастух придет сюда. 2

⟨1773⟩

ГАВРИЛА РОМАНОВИЧ ДЕРЖАВИН

1743—1816

ПРИЗЫВАНИЕ И ЯВЛЕНИЕ ПЛЕНИРЫ

Приди ко мне, Пленира,
В блистании луны,
В дыхании зефира,
Во мраке тишины!
Приди в подобье тени,
В мечте иль легком сне,
И, седши на колени,
Прижмися к сердцу мне;
Движения исчисли,
Вздыхания измерь,
И все мои ты мысли
Проникни и поверь, —
Хоть острый серп судьбины
Моих не косит дней,
Но нет уж половины
Во мне души моей.

Я вижу, ты в тумане
Течешь ко мне рекой!

Пленира на диване
Простерлась надо мной,
И легким осязаньем
Уст сладостных твоих,
Как ветерок дыханьем,
В объятиях своих
Меня ты утешаешь
И шепчешь нежно вслух:
«Почто так сокрушаешь
Себя, мой милый друг?
Нельзя смягчить судьбину,
Ты сколько слез ни лей;
Миленой половину
Займи души твоей».

Середина 1794

ПАРАШЕ

Белокурая Параша,
Сребророзова лицом,
Коей мало в свете краше
Взором, сердцем и умом.

Ты, которой повторяет
Звучну арфу нежный глас,
Как Палаша ударяет
В струны, утешая нас.

Встань, пойдем на луг широкой,
Мягкий, скатистый, к прудам;
Там под сенью древ далекой
Сядем, взглянем по струям:

Как, скользя по ним, сверкает
Луч от царских теремов,
Звезды, солнцы рассыпает
По теням между кустов.

Как за сребряной плотицей
Линь златой по дну бежит;
За прекрасною девицей,
За тобой, Амур летит.

1798

РУССКИЕ ДЕВУШКИ

Зрел ли ты, певец Тииский!
Как в лугу весной бычка
Пляшут девушки российски
Под свирелью пастушка?
Как, склонясь главами, ходят,
Башмаками в лад стучат,
Тихо руки, взор поводят
И плечами говорят?

Как их лентами златыми
Челы белые блестят,
Под жемчугами драгими
Груди нежные дыша́т?
Как сквозь жилки голубые
Льется розовая кровь,
На ланитах огневые
Ямки врезала любовь?
Как их брови соболины,
Полный искр соколий взгляд,
Их усмешка — души львины
И орлов сердца разят?
Коль бы видел дев сих красных,
Ты б гречанок позабыл
И на крыльях сладострастных
Твой Эрот прикован был.

Весна 1799

ШУТОЧНОЕ ЖЕЛАНИЕ

Если б милые девицы
Так могли летать, как птицы,
И садились на сучках,
Я желал бы быть сучочком,
Чтобы тысячам дево́чкам
На моих сидеть ветвях.
Пусть сидели бы и пели,

Вили гнезда и свистели,
Выводили и птенцов;
Никогда б я не сгибался,
Вечно ими любовался,
Был счастливей всех сучков.

1802

ЗАДУМЧИВОСТЬ

Задумчиво, один, широкими шагами
Хожу, и меряю пустых пространство мест;
Очами мрачными смотрю перед ногами,
Не зрится ль на песке где человечий след.

Увы! я помощи себе между людями
Не вижу, не ищу, как лишь оставить свет;
Веселье коль прошло, грусть обладает нами,
Зол внутренних печать на взорах всякий чтет.

И мнится мне, кричат долины, реки, холмы,
Каким огнем мой дух и чувствия жегомы
И от дражайших глаз что взор скрывает мой.

Но нет пустынь таких, ни дебрей мрачных, дальных,
Куда любовь моя в мечтах моих печальных
Не приходила бы беседовать со мной.

1807 (?)

АЛЕКСАНДР НИКОЛАЕВИЧ РАДИЩЕВ
1749—1802

ПЕСНЯ

Ужасный в сердце ад,
Любовь меня терзает;
    Твой взгляд
Для сердца лютый яд,
Веселье исчезает,
Надежда погасает,
    Твой взгляд,
  Ах, лютый яд.

Несчастный, позабудь...
Ах, если только можно,
    Забудь,
Что ты когда-нибудь
Любил ее неложно;
И сердцу коль возможно,
    Забудь
  Когда-нибудь.

Нет, я ее люблю,
Любить вовеки буду;

Люблю,
Терзанья все стерплю
[Ее не позабуду]
И верен ей пребуду;
Терплю,
А все люблю.

Ах, может быть, пройдет
Терзанье и мученье;
Пройдет,
Когда любви предмет,
Узнав мое терпенье,
Скончав мое мученье,
Придет
Любви предмет.

Любви моей венец
Хоть будет лишь презренье,
Венец
Сей жизни будь конец;
Скончаю я терпенье,
Прерву мое мученье;
Конец
Мой будь венец.

Ах, как я счастлив был,
Как счастлив я казался;
Я мнил,
В твоей душе я жил,
Любовью наслаждался,
Я ею величался
И мнил,
Что счастлив был.

Все было как во сне,
Мечта уж миновалась,
Ты мне,
То вижу не во сне,
Жестокая, смеялась,
В любови притворяла.
Ко мне,
Как бы во сне.

Моей кончиной злой
Не будешь веселиться,
Рукой
Моей, перед тобой,
Меч остр во грудь вонзится.
Моей кровь претворится
Рукой
Тебе в яд злой.

⟨*Первая половина 1770*⟩

САФИЧЕСКИЕ СТРОФЫ

Ночь была прохладная, светло в небе
Звезды блещут, тихо источник льется,
Ветры нежно веют, шумят листами
Тополы белы.

Ты клялася верною быть вовеки,
Мне богиню нощи дала порукой;
Север хладный дунул один раз крепче —
    Клятва исчезла.

Ах! почто быть клятвопреступной!.. Лучше
Будь всегда жестока, то легче будет
Сердцу. Ты, маня лишь взаимной страстью,
    Ввергла в погибель.

Жизнь прерви, о рок! рок суровый, лютый,
Иль вдохни ей верной быть в клятве данной.
Будь блаженна, если ты можешь только
    Быть без любови.

⟨ *1801* ⟩

ЕРМИЛ ИВАНОВИЧ КОСТРОВ

1755—1796

КЛЯТВА

На листочке алой розы
Я старалась начертить
Милу другу в знак угрозы,
Что не буду ввек любить,
Чем бы он меня ни льстил,
Что бы мне ни говорил.
Чуть окончить я успела,
Вдруг повеял ветерок.
Он унес с собой листок —
С ним и клятва улетела.

⟨1786⟩

ПЕСНЯ

Прости, любезный мой пастух,
Кем грудь моя всегда пылала,
Прости, оставлю здешний луг,
Где каждый день с тобой бывала,
Где восхищался страстью дух
И нежность с нежностью играла.

Уединясь на брег другой,
Я стану повторять всечасно,
Что я одним горю тобой;
Но стану повторять несчастно:
К тебе плачевный голос мой
Не дойдет... полетит напрасно.

Но ты не плачь, не плачь, мой свет.
Не долго буду в томной скуке,
Ты знаешь: смерть конец всех бед,
Конец страдания и муке —
И мне, мне жить надежды нет,
Коль буду я с тобой в разлуке.

НИКОЛАЙ АЛЕКСАНДРОВИЧ ЛЬВОВ

1751—1804

ИЗ АНАКРЕОНА

ОДА I

К ЛИРЕ

Я петь хочу Атридов,
Хочу о Кадме петь;
Но струны лиры только
Одну любовь звучат.
Я лиру перестроил,
Вновь струны натянул,
Хотел на ней Иракла
Я подвиги воспеть;
Но лира возглашала
Единую любовь.
Простите впредь, ирои!
Коль лира уж моя
Одну любовь бряцает.

ОДА XL

ЕРОТ

Купидон, не видя спящей
В розовом кусте пчелы,
В палец ею был ужален;
Вскрикнул, вспо́рхнул, побежал
Он к прекрасной Цитереи,
Плача и крича: «Пропал,
Матушка! пропал: до смерти
Ах! ужалила меня
С крылышками небольшая
И летучая змея,
Та, которую пчелою
Землепахари зовут».
Тут богиня отвечала:
«Если маленькой пчелы
Больно так терзает жало,
То суди ты сам теперь,
Сколько те должны терзаться,
Коих ты разишь, Ерот?»

ОДА LV

О ЛЮБОВНИКАХ

На бедре, прижженном сталью,
Знают лошадь по тавру;
А парфянина по шапке.
Я ж влюбленного тотчас
По сердечной легкой метке
И на взгляд могу узнать.

⟨1794⟩

ЮРИЙ АЛЕКСАНДРОВИЧ
НЕЛЕДИНСКИЙ-МЕЛЕЦКИЙ

1752—1829

ПЕСНЯ

Ах! тошно мне
На своей стороне;
 Все уныло,
 Все постыло:
Моей милыя нет!

Моей милыя нет;
Не глядел бы я на свет!
 Что, бывало,
 Утешало,
О том плачу теперь.

Во любимом леску
Я питаю тоску:
 Все листочки
 И кусточки
В нем о милой мне твердят.

Представляю себе,
Говорит будто мне;
Забываюсь,
Откликаюсь
Часто нá голос свой.

Здесь милой нет!
Я пойду за ней вслед;
Где б ни крылась,
Ни таилась,
Сердце скажет мне путь.

Ах! грустно мне
На своей стороне:
Слезы льются,
Не уймутся, —
В них отрада моя.

⟨*1791*⟩

* * *

Выйду я на реченьку,
Погляжу на быструю —
Унеси мое ты горе,
Быстра реченька, с собой!

Нет! унесть с собой не можешь
Лютой горести моей,
Разве грусть мою умножишь,
Разве пищу дашь ты ей.

За струей струя катится
По склоненью твоему;
Мысль за мыслью так стремится
Все к предмету одному.

Ноет сердце, занывает,
Страсть мучительну тая.
Кем страдаю, тот не знает,
Терпит что душа моя.

Чем же злую грусть рассею,
Сердце успокою чем?
Не хочу и не умею
В сердце быть властна моем.

Милый мой им обладает;
Взгляд его — мой весь закон;
Томный дух пусть век страдает,
Лишь бы мил всегда был он.

Лучше век в тоске пребуду,
Чем его мне позабыть.
Ах! коль милого забуду,
Кем же стану, кем же жить?

Каждое души движенье —
Жертва другу моему.
Сердца каждое биенье
Посвящаю я ему.

Ты, кого не называю,
А в душе всегда ношу!
Ты, кем вижу, кем пылаю
Кем я мышлю и дышу!

Не почувствуй ты досады,
Как дойдет мой стон к тебе.
Я за страсть не жду награды,
Злой покорствуя судьбе.

Если ж то найдешь возможным,
Силу чувств моих измерь —
Словом ласковым — хоть ложным,
Ад души моей умерь!

⟨1796⟩

ВАСИЛИЙ ВАСИЛЬЕВИЧ КАПНИСТ

1758—1823

ВЗДОХ

С Миленой позднюю порою,
Под тенью скромного леска,
Мы видели, как меж собою
Два разыгрались голубка.
Любовь моя воспламенилась,
Душа на языке была,
Но, полна страстью, грудь стеснилась,
И речь со вздохом умерла.
Увы! почто ж уста немели
И тайны я открыть не мог?
Но если б разуметь хотели,
Не все ль сказал уж этот вздох?
И нужно ль клятвы, часто ложны,
Всегда любви в поруки брать?
Глаза в душе всё видеть должны
И сердце сердцу весть давать.

⟨*1799*⟩

СИЛУЭТ

Твой образ в сердце врезан ясно,
На что ж мне тень его даришь?
На то ль, что жар любови страстной
Ты дружбой заменить велишь?
Но льзя ль веленью покориться:
Из сердца рвать стрелу любви?
Лишь смертью может потушиться
Текущий с жизнью огнь в крови.

Возьми ж обратно дар напрасный, —
Ах! нет: оставь его, оставь.
В судьбине горестной, злосчастной
Еще быть счастливым заставь:
Позволь надеждой сладкой льститься,
Смотря на милые черты,
Что, как твоя в них тень хранится,
Хоть тень любви хранишь и ты.

⟨1806⟩

ЛЮБОВНАЯ КЛЯТВА

Кн. II, ода VIII

Когда б хоть раз ты казнь, Барина,
За ложны клятвы понесла:
Хоть тень на зуб, на лоб морщина,
На ноготь крапинка б взошла;

Поверил бы, но лишь ужасной
Главу измене обречешь,
Милее кажешься — и страстный
Влюбленный рой сильнее ждешь.

И праху матери, и ясным
В нахмуренной ночи звездам,
И, хладной смерти непричастным,
Тебе полезно лгать богам.

Смеется мать любви; веселы
Смеются нимфы вкруг харит
И бог, что пламенные стрелы
Кровавым каменем острит.

Тебе повсюду юнош стая
И новые рабы растут,
И прежни, гнев их забывая,
Под кровь изменницы бегут.

Тебя все матери боятся
И стары скряги за детей;
И жены юные страшатся,
Чтоб блеск твой не взманил мужей.

⟨*Вторая половина 1810-х*⟩

МЩЕНИЕ ЛЮБОВНИКА

Эпод XV

Ночь длилась, и луна златая
Сияла меж подруг своих,
Когда, о Лида! прижимая
Меня в объятиях твоих
Сильней, чем плющ вкруг дуба вьется,
Ты клятву повторяла мне,
Ту клятву, что богам смеется,
Живущим в звездной вышине.

Клялась ты: волк пока в долине
Ягненков будет устрашать
И Орион зыбей в пучине
Не перестанет воздвигать,
Пока зефир не позабудет
Лелеять Фебовых кудрей, —
Любовь твоя взаимно будет
Ответствовать любви моей.

Но бойся, мести чтоб достойной
Ты от меня не понесла:
Я не стерплю, чтоб ты спокойно
Все ночи с милым провела;
Другую полюблю сердечно,
Сказав изменнице «прости!»,
К тебе ж не возвращуся вечно,
Как ни жалей и ни грусти.

А ты, счастливец обольщенный,
Утратой ныне горд моей!
Хотя сады распространенны,
Хоть тысячу ты стад имей,
Хотя б обширнее Босфора
К тебе златый Пактол протек,
Хоть будь мудрее Пифагора,
Что в мире жил двукратный век;

Хотя б прекрасного Нирея
Твоей ты превзошел красой,
Но тож, о ясных днях жалея,
Их мрачной заменишь тоской;
Изменой станешь ты терзаться
И легковерность клясть свою,
Тогда-то над тобой смеяться
Я буду в очередь мою.

7 декабря 1819, Обуховка

СКРОМНОЕ ПРИЗНАНИЕ В ЛЮБВИ

Ах! пойду рассею скуку
По лесочкам, по лугам,
Тайную, сердечну муку
Эхам томным передам.

Томны эхи! повторите
Скромну жалобу мою;
Другу милому скажите,
Что по нем здесь слезы лью.

Пусть хотя чрез вас узнает
То, чего сказать нет сил:
Что по нем душа страдает,
Без него и свет немил.

Эхи! пристально внимайте:
Если милый мой вздохнет,
Вздох скорей мне передайте! —
Сердце лишь ответа ждет.

⟨*1819*⟩

ИВАН ИВАНОВИЧ ДМИТРИЕВ

1760—1837

* * *

Стонет сизый голубочек,
Стонет он и день и ночь;
Миленький его дружочек
Отлетел надолго прочь.

Он уж боле не воркует
И пшенички не клюет;
Все тоскует, все тоскует
И тихонько слезы льет.

С нежной ветки на другую
Перепархивает он
И подружку дорогую
Ждет к себе со всех сторон.

Ждет ее... увы! но тщетно,
Знать, судил ему так рок!
Сохнет, сохнет неприметно
Страстный, верный голубок.

Он ко травке прилегает;
Носик в перья завернул;
Уж не стонет, не вздыхает;
Голубок... навек уснул!

Вдруг голубка прилетела,
Приуныв, издалека,
Над своим любезным села,
Будит, будит голубка;

Плачет, стонет, сердцем ноя,
Ходит милого вокруг —
Но... увы! прелестна Хлоя!
Не проснется милый друг!

⟨*1792*⟩

* * *

Ах! когда б я прежде знала,
Что любовь родит беды,
Веселясь бы не встречала
Полуночныя звезды!
Не лила б от всех украдкой
Золотого я кольца;
Не была б в надежде сладкой
Видеть милого льстеца!

К удалению удара
В лютой, злой моей судьбе
Я слила б из воска яра
Легки крылышки себе
И на родину вспорхнула
Мила друга моего;
Нежно, нежно бы взглянула
Хоть однажды на него.

А потом бы улетела
Со слезами и тоской;
Подгорюнившись бы села
На дороге я большой;
Возрыдала б, возопила:
«Добры люди! как мне быть?
Я неверного любила...
Научите не любить».

⟨*1792*⟩

НАСЛАЖДЕНИЕ

Всяк в своих желаньях волен —
Лавры! вас я не ищу;
Я и мирточкой доволен,
Коль от милой получу.

Будь мудрец светилом мира,
Будь герой вселенной страх, —
Рано ль, поздно ли, Темира,
Всяк истлеет, будет прах!

Розы ль дышат над могилой
Иль полынь на ней растет, —
Все равно, о друг мой милый!
В прахе чувствия уж нет.

Прочь же, скука! Прочь, забота!
Воспламеняй, любовь, ты нас!
Дни текут без поворота;
Дорог, дорог каждый час!

Может быть, в сию минуту,
Милый друг, всесильный рок
Посылает парку люту
Дней моих прервати ток.

Ах! почто же медлить боле
И с тоскою ждать конца?
Насладимся мы, доколе
Бьются в нас еще сердца!

⟨1792⟩

* * *

Что с тобою, ангел, стало?
Не слыхать твоих речей;
Все вздыхаешь! а бывало
Ты поешь как соловей.

«С милым пела, говорила,
А без милого грущу;
Поневоле приуныла:
Где я милого сыщу?»

Разве милого другого
Не найдешь из пастушков?
Выбирай себе любого,
Всяк тебя любить готов.

«Хоть царевич мной прельстится,
Все я буду горевать!
Сердце с сердцем подружится —
Уж не властно выбирать».

⟨1796⟩

ПЕТР АФАНАСЬЕВИЧ ПЕЛЬСКИЙ

1765—1803

ЛЮБОВЬ И ДРУЖБА

(Триолеты)

В любовь коль дружба обратится —
Прости, спокойство наших дней!
Тоскою жизнь вся отравится,
В любовь где дружба обратится.
Премены сей пусть всяк страшится!
Сердец союз опасен сей.
В любовь где дружба обратится,
Прости, спокойство наших дней!

Любовь коль в дружбу обратится,
Прости, утеха наших дней!
Унынье, томность тут родится,
Любовь где в дружбу обратится;
Веселье скукой заменится,
Страшитеся премены сей.
Любовь где в дружбу обратится,
Прости, утеха наших дней!

НИКОЛАЙ МИХАЙЛОВИЧ КАРАМЗИН

1766—1826

ПРОСТИ

Кто мог любить так страстно,
Как я любил тебя?
Но я вздыхал напрасно,
Томил, крушил себя!

Мучительно плениться,
Быть страстным одному!
Насильно полюбиться
Не можно никому.

Не знатен я, не славен, —
Могу ль кого прельстить?
Не весел, не забавен, —
За что меня любить?

Простое сердце, чувство
Для света ничего.
Там надобно искусство —
А я не знал его!

(Искусство величаться,
Искусство ловким быть,
Умнее всех казаться,
Приятно говорить.)

Не знал — и, ослепленный
Любовию своей,
Желал я, дерзновенный,
И сам любви твоей!

Я плакал, ты смеялась,
Шутила надо мной, —
Моею забавлялась
Сердечною тоской!

Надежды луч бледнеет
Теперь в душе моей...
Уже другой владеет
Навек рукой твоей!..

Будь счастлива — покойна,
Сердечно весела,
Судьбой всегда довольна,
Супругу — ввек мила!

Во тьме лесов дремучих
Я буду жизнь вести,
Лить токи слез горючих,
Желать конца — прости!

1792

⟨ПЕСНЯ ИЗ ПОВЕСТИ «ОСТРОВ БОРНГОЛЬМ»⟩

Законы осуждают
Предмет моей любви;
Но кто, о сердце, может
Противиться тебе?

Какой закон святее
Твоих врожденных чувств?
Какая власть сильнее
Любви и красоты?

Люблю — любить ввек буду.
Кляните страсть мою,
Безжалостные души,
Жестокие сердца!

Священная Природа!
Твой нежный друг и сын
Невинен пред тобою.
Ты сердце мне дала;

Твои дары благие
Украсили ее, —
Природа! ты хотела,
Чтоб Лилу я любил!

Твой гром гремел над нами,
Но нас не поражал,
Когда мы наслаждались
В объятиях любви.

О Бо́рнгольм, милый Бо́рнгольм!
К тебе душа моя
Стремится беспрестанно;
Но тщетно слезы лью,

Томлюся и вздыхаю!
Навек я удален
Родительскою клятвой
От берегов твоих!

Еще ли ты, о Лила,
Живешь в тоске своей?
Или в волнах шумящих
Скончала злую жизнь?

Явися мне, явися,
Любезнейшая тень!
Я сам в волнах шумящих
С тобою погребусь.

1793

АЛЕКСЕЙ ФЕДОРОВИЧ МЕРЗЛЯКОВ

1778—1830

* * *

Среди долины ровныя,
На гладкой высоте
Цветет, растет высокий дуб
В могучей красоте.

Высокий дуб, развесистый,
Один у всех в глазах;
Один, один, бедняжечка,
Как рекрут на часах!

Взойдет ли красно солнышко:
Кого под тень принять?
Ударит ли погодушка:
Кто будет защищать?

Ни сосенки кудрявыя,
Ни ивки близ него;
Ни кустики зеленые
Не вьются вкруг него.

Ах, скучно одинокому
И дереву расти!
Ах, горько, горько молодцу
Без милой жизнь вести!

Есть много сребра, золота,
Кого им подарить?
Есть много славы, почестей.
Но с кем их разделить?

Встречаюсь ли с знакомыми:
Поклон, да был таков;
Встречаюсь ли с пригожими:
Поклон — да пара слов.

Одних и сам пугаюся,
Другой бежит меня.
Все други, все приятели
До черного лишь дня!

Где ж сердцем отдохнуть могу,
Когда гроза взойдет?
Друг нежный спит в сырой земле,
На помощь не придет!

Ни роду нет, ни племени
В чужой мне стороне;
Не ластится любезная
Подруженька ко мне!

Не плачется от радости
Старик, глядя на нас;
Не вьются вкруг малюточки,
Тихонечко резвясь!

Возьмите же все золото,
Все почести назад;
Мне родину, мне милую,
Мне милой дайте взгляд!

1810

ИВАН ИВАНОВИЧ КОЗЛОВ

1779—1840

КНЯГИНЕ З. А. ВОЛКОНСКОЙ

Мне говорят: «Она поет —
И радость тихо в душу льется,
Раздумье томное найдет,
В мечтанье сладком сердце бьется;

И то, что мило на земли,
Когда поет она — милее,
И пламенней огонь любви,
И все прекрасное святее!»

А я, я слез не проливал,
Волшебным голосом плененный;
Я только помню, что видал
Певицы образ несравненный.

О, помню я, каким огнем
Сияли очи голубые,
Как на челе ее младом
Вилися кудри золотые!

И помню звук ее речей,
Как помнят чувство дорогое;
Он слышится в душе моей,
В нем было что-то неземное.

Она, она передо мной,
Когда таинственная лира
Звучит о пери молодой
Долины светлой Кашемира.

Звезда любви над ней горит,
И — стан обхвачен пеленою —
Она, эфирная, летит,
Чуть озаренная луною;

Из лилий с розами венок
Небрежно волосы венчает,
И локоны ее взвевает
Душистой ночи ветерок.

⟨1825⟩

ВЕНЕЦИАНСКАЯ НОЧЬ

Фантазия

П. А. Плетневу

Ночь весенняя дышала
Светло-южною красой;
Тихо Брента протекала,
Серебримая луной;

Отражен волной огнистой
Блеск прозрачных облаков,
И восходит пар душистый
От зеленых берегов.

Свод лазурный, томный ропот
Чуть дробимыя волны,
Померанцев, миртов шепот
И любовный свет луны,
Упоенья аромата
И цветов и свежих трав,
И вдали напев Торквата
Гармонических октав —

Все вливает тайно радость,
Чувствам снится дивный мир,
Сердце бьется, мчится младость
На любви весенний пир;
По водам скользят гондолы,
Искры брызжут под веслом,
Звуки нежной баркаролы
Веют легким ветерком.

Что же, что не видно боле
Над игривою рекой
В светло-убранной гондоле
Той красавицы младой,
Чья улыбка, образ милый
Волновали все сердца
И пленяли дух унылый
Исступленного певца?

Нет ее: она тоскою
В замок свой удалена;
Там живет одна с мечтою,

Тороплива и мрачна.
Не мила ей прелесть ночи,
Не манит сребристый ток,
И задумчивые очи
Смотрят томно на восток.

Но густее тень ночная;
И красот цветущий рой,
В неге страстной утопая,
Покидает пир ночной.
Стихли пышные забавы,
Все спокойно на реке,
Лишь Торкватовы октавы
Раздаются вдалеке.

Вот прекрасная выходит
На чугунное крыльцо;
Месяц бледно луч наводит
На печальное лицо;
В русых локонах небрежных
Рисовался легкий стан,
И на персях белоснежных
Изумрудный талисман!

Уж в гондоле одинокой
К той скале она плывет,
Где под башнею высокой
Море бурное ревет.
Там певца воспоминанье
В сердце пламенном живей,
Там любви очарованье
С отголоском прежних дней.

И в мечтах она внимала,
Как полночный вещий бой

Медь гудящая сливала
С вечно-шумною волной,

Не мила ей прелесть ночи,
Душен свежий ветерок,
И задумчивые очи
Смотрят томно на восток.

Тучи тянутся грядою,
Затмевается луна;
Ясный свод оделся мглою;
Тма внезапная страшна.
Вдруг гондола осветилась,
И звезда на высоте
По востоку покатилась
И пропала в темноте.

И во тме с востока веет
Тихогласный ветерок;
Факел дальний пламенеет, —
Мчится по морю челнок.
В нем уныло молодая
Тень знакомая сидит,
Подле арфа золотая,
Меч под факелом блестит.

Не играйте, не звучите,
Струны дерзкие мои:
Славной тени не гневите!..
О! свободы и любви
Где же, где певец чудесный?
Иль его не сыщет взор?
Иль угас огонь небесный,
Как блестящий метеор?

⟨1825⟩

ВАСИЛИЙ АНДРЕЕВИЧ ЖУКОВСКИЙ

1783—1852

ПЕСНЯ

Когда я был любим, в восторгах, в наслажденье.
Как сон пленительный, вся жизнь моя текла.
Но я тобой забыт, — где счастья привиденье?
Ах! счастием моим любовь твоя была!

Когда я был любим, тобою вдохновенный,
Я пел, моя душа хвалой твоей жила.
Но я тобой забыт, погиб мой дар мгновенный:
Ах! гением моим любовь твоя была!

Когда я был любим, дары благодеянья
В обитель нищеты рука моя несла.
Но я тобой забыт, нет в сердце состраданья!
Ах! благостью моей любовь твоя была!

⟨*1807*⟩

ПЕСНЯ

Мой друг, хранитель-ангел мой,
О ты, с которой нет сравненья,
Люблю тебя, дышу тобой;
Но где для страсти выраженья?
Во всех природы красотах
Твой образ милый я встречаю;
Прелестных вижу — в их чертах
Одну тебя воображаю.

Беру перо — им начертать
Могу лишь имя незабвенной;
Одну тебя лишь прославлять
Могу на лире восхищенной:
С тобой, один, вблизи, вдали,
Тебя любить — одна мне радость;
Ты мне все блага на земли;
Ты сердцу жизнь, ты жизни сладость.

В пустыне, в шуме городском
Одной тебе внимать мечтаю;
Твой образ — забываясь сном,
С последней мыслию сливаю;
Приятный звук твоих речей
Со мной во сне не расстается;
Проснусь — и ты в душе моей
Скорей, чем день очам коснется.

Ах! мне ль разлуку знать с тобой?
Ты всюду спутник мой незримый;
Молчишь — мне взор понятен твой,
Для всех других неизъяснимый;
Я в сердце твой приемлю глас;

Я пью любовь в твоем дыханье...
Восторги, кто постигнет вас,
Тебя, души очарованье?

Тобой и для одной тебя
Живу и жизнью наслаждаюсь;
Тобою чувствую себя;
В тебе природе удивляюсь.
И с чем мне жребий мой сравнить?
Чего желать в толь сладкой доле?
Любовь мне жизнь — ах! я любить
Еще стократ желал бы боле.

⟨1808⟩

К НЕЙ

Имя где для тебя?
Не сильно смертных искусство
Выразить прелесть твою!

Лиры нет для тебя!
Что песни? Отзыв неверный
Поздней молвы о тебе!

Если бы сердце могло быть
Им слышно, каждое чувство
Было бы гимном тебе!

Прелесть жизни твоей,
Сей образ чистый, священный, —
В сердце — как тайну ношу.

Я могу лишь любить,
Сказать же, как ты любима,
Может лишь вечность одна!

⟨1810—1811⟩

ПЕСНЯ

О милый друг! теперь с тобою радость!
А я один — и мой печален путь;
Живи, вкушай невинной жизни сладость;
В душе не изменись; достойна счастья будь...
Но не отринь, в толпе пленяемых тобою,
Ты друга прежнего, увядшего душою;
Веселья их дели — ему отрадой будь;
    Его, мой друг, не позабудь.

О милый друг, нам рок велел разлуку:
Дни, месяцы и годы пролетят,
Вотще к тебе простру от сердца руку —
Ни голос твой, ни взор меня не усладят.
Но и вдали моя душа с твоей согласна;
Любовь ни времени, ни месту не подвластна;
Всегда, везде ты мой хранитель-ангел будь,
    Меня, мой друг, не позабудь.

О милый друг, пусть будет прах холодный
То сердце, где любовь к тебе жила:
Есть лучший мир; там мы любить свободны;
Туда моя душа уж все перенесла;
Туда всечасное влечет меня желанье;
Там свидимся опять; там наше воздаянье;
Сей верой сладкою полна в разлуке будь —
Меня, мой друг, не позабудь.

⟨1811⟩

ЖАЛОБА

Романс

Над прозрачными водами
    Сидя, рвал Услад венок;
И шумящими волнами
    Уносил цветы поток.
«Так бегут лета младые
    Невозвратною струей;
Так все радости земные —
    Цвет увядший полевой.

Ах! безвременной тоскою
    Умерщвлен мой милый цвет.
Все воскреснуло с весною;
    Обновился божий свет;
Я смотрю — и холм веселый
    И поля омрачены;

Для души осиротелой
Нет цветущия весны.

Что в природе, озаренной
Красотою майских дней?
Есть *одна* во всей вселенной —
К *ней* душа, и мысль об *ней;*
К *ней* стремлю, забывшись, руки —
Милый призрак прочь летит.
Кто ж мои услышит муки,
Жажду сердца утолит?»

⟨*1811*⟩

ГОЛОС С ТОГО СВЕТА

Не узнавай, куда я путь склонила,
В какой предел из мира перешла...
О друг, я все земное совершила;
Я на земле любила и жила.

Нашла ли их? Сбылись ли ожиданья?
Без страха верь; обмана сердцу нет;
Сбылося все; я в стороне свиданья;
И знаю *здесь,* сколь *ваш* прекрасен свет.

Друг, на *земле* великое не тщетно;
Будь тверд, а *здесь* тебе не изменят;
О милый, *здесь* не будет безответно
Ничто, ничто: ни мысль, ни вздох, ни взгляд.

Не унывай: минувшее с тобою;
Незрима я, но в мире мы одном;
Будь верен мне прекрасною душою;
Сверши *один* начатое *вдвоем*.

⟨*1815*⟩

ПЕСНЯ

Кольцо души-девицы
Я в море уронил;
С моим кольцом я счастье
Земное погубил.

Мне, дав его, сказала:
«Носи! Не забывай!
Пока твое колечко,
Меня своей считай!»

Не в добрый час я невод
Стал в море полоскать;
Кольцо юркнуло в воду;
Искал... но где сыскать!

С тех пор мы как чужие!
Приду к ней — не глядит!
С тех пор мое веселье
На дне морском лежит!

О ветер полуночный,
Проснися! будь мне друг!
Схвати со дна колечко
И выкати на луг.

Вчера ей жалко стало:
Нашла меня в слезах!
И что-то, как бывало,
Зажглось у ней в глазах!

Ко мне подсела с лаской,
Мне руку подала,
И что-то ей хотелось
Сказать, но не могла!

На что твоя мне ласка!
На что мне твой привет!
Любви, любви хочу я...
Любви-то мне и нет!

Ищи, кто хочет, в море
Богатых янтарей...
А мне мое колечко
С надеждою моей.

⟨*1816*⟩

ВОСПОМИНАНИЕ

Прошли, прошли вы, дни очарованья!
Подобных вам уж сердцу не нажить!
Ваш след в одной тоске воспоминанья!
Ах! лучше б вас совсем мне позабыть!

К вам часто мчит привычное желанье —
И слез любви нет сил остановить!
Несчастие — об вас воспоминанье!
Но более несчастье — вас забыть!

О, будь же грусть заменой упованья!
Отрада нам — о счастье слезы лить!
Мне умереть с тоски воспоминанья!
Но можно ль жить, — увы! и позабыть!

⟨1816⟩

УТЕШЕНИЕ В СЛЕЗАХ

«Скажи, что так задумчив ты?
     Все весело вокруг;
В твоих глазах печали след;
     Ты, верно, плакал, друг?»

«О чем грущу, то в сердце мне
     Запало глубоко;
А слезы... слезы в сладость нам;
     От них душе легко».

«К тебе ласкаются друзья,
    Их ласки не дичись;
И что бы ни утратил ты,
    Утратой поделись».

«Как вам, счастливцам, то понять,
    Что понял я тоской?
О чем... но нет! оно мое,
    Хотя и не со мной».

«Не унывай же, ободрись;
    Еще ты в цвете лет;
Ищи — найдешь; отважным, друг,
    Несбыточного нет».

«Увы! напрасные слова!
    Найдешь — сказать легко;
Мне до него, как до звезды
    Небесной, далеко».

«На что ж искать далеких звезд?
    Для неба их краса;
Любуйся ими в ясну ночь,
    Не мысли в небеса».

«Ах! я любуюсь в ясный день;
    Нет сил и глаз отвесть;
А ночью... ночью плакать мне,
    Покуда слезы есть».

⟨1817⟩

ПЕСНЯ

Минувших дней очарованье,
Зачем опять воскресло ты?
Кто разбудил воспоминанье
И замолчавшие мечты?
Шепнул душе привет бывалый;
Душе блеснул знакомый взор;
И зримо ей минуту стало
Незримое с давнишних пор.

О милый гость, святое *Прежде*,
Зачем в мою теснишься грудь?
Могу ль сказать: *живи* надежде?
Скажу ль тому, что было: *будь?*
Могу ль узреть во блеске новом
Мечты увядшей красоту?
Могу ль опять одеть покровом
Знакомой жизни наготу?

Зачем душа в тот край стремится,
Где были дни, каких уж нет?
Пустынный край не населится,
Не узрит он минувших лет;
Там есть *один* жилец безгласный,
Свидетель милой старины;
Там вместе с ним все дни прекрасны
В единый гроб положены.

⟨1818⟩

9 МАРТА 1823

Ты предо мною
Стояла тихо.
Твой взор унылый
Был полон чувства.
Он мне напомнил
О милом прошлом...
Он был последний
На здешнем свете...

Ты удалилась,
Как тихий ангел;
Твоя могила,
Как рай, спокойна!
Там все земные
Воспоминанья,
Там все святые
О небе мысли.

Звезды небес,
Тихая ночь!..

⟨*1823*⟩

НИКОЛАЙ ИВАНОВИЧ ГНЕДИЧ

1784—1833

ДУМА

Кто на земле не вкушал жизни на лоне любви,
Тот бытия земного возвышенной цели не понял;
Тот предвкусить не успел сладостной жизни *другой:*
Он, как туман, при рождении гибнущий, умер, не живши.

1831

ДЕНИС ВАСИЛЬЕВИЧ ДАВЫДОВ

1784—1839

⟨ЭЛЕГИЯ V⟩

Все тихо! и заря багряною чертой
По синеве небес безмолвно пробежала...
И мгла, что гор хребты и рощи покрывала,
Волнуясь, стелется туманною рекой
По лугу пестрому и ниве молодой.
Блаженные часы! весь мир в отдохновенье!
Еще зефиры спят на дремлющих листах,
Еще пернатые покоятся в кустах,
И все безмолвствует в моем уединенье...
Но боги! неужель вы с мира тишиной
И чувств души моей волненья усмирили;
Неужто и во мне господствует покой!..
Уже, о счастие! не вижу пред собой
    Я призрак грозный — вечно милый,
Которого нигде мой взор не покидал...

Нигде! Ни в шумной сечи боя,
Ни в бранных игрищах военного покоя!
О ты, которое я в помощь призывал,
Бесчувствие! о дар рассудка драгоценный,
Ты, вняв мольбе моей смиренной,
Нисходишь наконец спасителем моим.
Я погибал! тобой одним
Достигнул берега, и с мирныя вершины
Смотрю бестрепетно, грозою невредим,
На шумные валы обширныя пучины!
А ты, с кем некогда делился я душой
И кем душа моя в мученьях истощилась...
Утешься, ты забыта мной!
Но отчего слезой ланита окропилась?
О слезы пламенны, теките! Я свои
Минуты радости от сих минут считаю
И вас не о любви,
А от блаженства проливаю!

⟨1816⟩

⟨ЭЛЕГИЯ VIII⟩

О пощади! — Зачем волшебство ласк и слов,
Зачем сей взгляд, зачем сей вздох глубокий,
Зачем скользит небережно покров
С плеч белых и груди высокой?

О пощади! Я гибну без того,
Я замираю, я немею
При легком шорохе прихода твоего;
Я, звуку слов твоих внимая, цепенею...
Но ты вошла — и дрожь любви,
И смерть, и жизнь, и бешенство желанья
Бегут по вспыхнувшей крови,
И разрывается дыханье!
С тобой летят, летят часы,
Язык безмолвствует... одни мечты и грезы,
И мука сладкая, и восхищенья слезы —
И взор впился в твои красы,
Как жадная пчела в листок весенней розы!

1818

ГУСАР

Напрасно думаете вы,
Чтобы гусар, питомец славы,
Любил лишь только бой кровавый
И был отступником любви.
Амур не вечно пастушком
В свирель без умолка играет:
Он часто, скучив посошком,
С гусарскою саблею гуляет;
Он часто храбрости огонь
Любовным пламенем питает —
И тем милей бывает он!

Он часто с грозным барабаном
Мешает звук любовных слов;
Он так и нам под доломаном
Вселяет зверство и любовь.
В нас сердце не всегда желает
Услышать стон, увидеть бой, —
Ах, часто и гусар вздыхает,
И в кивере его весной
Голубка гнездышко свивает...

⟨*1818*⟩

* * *

1

Когда я повстречал красавицу мою,
Которую любил, которую люблю,
Чьей власти избежать я льстил себя обманом, —
    Я обомлел! — Так, случаем нежданным,
    Гуляющий на вале сорванец —
        Встречается солдат-беглец
        С своим суровым капитаном.

1834

2

Вошла, как Психея, томна и стыдлива,
Как юная пери, стройна и красива, —
И шепот восторга бежит по устам,
И крестятся ведьмы, и тошно чертям!

1833

3

В тебе, в тебе одной природа, не искусство,
Ум обольстительный с душевной простотой,
Веселость резвая с мечтательной душой,
И в каждом слове мысль, и в каждом взоре чувство!

1829

* * *

Не пробуждай, не пробуждай
Моих безумств и исступлений,
И мимолетных сновидений
Не возвращай, не возвращай!

Не повторяй мне имя той,
Которой память — мука жизни,
Как на чужбине песнь отчизны
Изгнаннику земли родной!

Не воскрешай, не воскрешай
Меня забывшие напасти —
Дай отдохнуть тревогам страсти
И ран живых не раздражай!

Иль нет! Сорви покров долой...
Мне легче горя своеволье,
Чем ложное холоднокровье,
Чем мой обманчивый покой!

1834

* * *

Я вас люблю так, как любить вас должно;
Наперекор судьбы и сплетней городских,
    Наперекор, быть может, вас самих,
Томящих жизнь мою жестоко и безбожно.
    Я вас люблю, — не оттого, что вы
    Прекрасней всех, что стан ваш негой дышит,
Уста роскошствуют и взор востоком пышет,
Что вы — поэзия от ног до головы.
    Я вас люблю без страха, опасенья
Ни неба, ни земли, ни Пензы, ни Москвы, —
Я мог бы вас любить глухим, лишенным зренья...
    Я вас люблю затем, что это — *вы*!

На право вас любить не прибегу к пашпорту
Иссохших завистью жеманниц отставных:
Давно с почтением я умоляю их
Не заниматься мной и — убираться к черту!

1834 (?)

* * *

    Я не ропщу. Я вознесен судьбою
    Превыше всех! — Я счастлив! Я любим!
    Приветливость даруется тобою
        Соперникам моим...
Но теплота души, но все, что так люблю я
        С тобой наедине...
Но девственность живого поцелуя...
        Не им, а мне!

1835 (?)

ФЕДОР НИКОЛАЕВИЧ ГЛИНКА

1786—1880

СОН РУССКОГО НА ЧУЖБИНЕ

> Отечества и дым нам
> сладок и приятен!
> *Державин*

Свеча, чуть теплясь, догорала,
Камин, дымяся, погасал;
Мечта мне что-то напевала,
И сон меня околдовал...
Уснул — и вижу я долины
В наряде праздничном весны
И деревенские картины
Заветной *русской* стороны!..
Играет рог, звенят цевницы,
И гонят парни и девицы
Свои стада на влажный луг.
Уж веял, веял теплый дух
Весенней жизни и свободы
От долгой и крутой зимы.

И рвутся из своей тюрьмы,
И хлещут с гор кипучи воды.
Пловцов брадатых на стругах
Несется с гулом отклик долгий;
И широко гуляет Волга
В заповедных своих лугах...
Поляны муравы одели,
И, вместо пальм и пышных роз,
Густеют молодые ели,
И льется запах от берез!..
И мчится тройка удалая
В Казань дорогой столбовой,
И колокольчик — дар Валдая —
Гудит, качаясь под дугой...
Младой ямщик бежит с полночи:
Ему сгрустнулося в тиши,
И он запел про *ясны очи*,
Про очи девицы-души:
«Ах, очи, очи голубые!
Вы иссушили молодца!
Зачем, о люди, люди злые,
Зачем разрознили сердца?
Теперь я горький сиротина!»
И вдруг махнул по всем по трем...
Но я расстался с милым сном,
И чужеземная картина
Сияла пышно предо мной.
Немецкий город... все красиво,
Но я в раздумье молчаливо
Вздохнул по стороне родной...

⟨*1825*⟩

КОНСТАНТИН НИКОЛАЕВИЧ БАТЮШКОВ

1787—1855

ВЫЗДОРОВЛЕНИЕ

Как ландыш под серпом убийственным жнеца
    Склоняет голову и вянет,
Так я в болезни ждал безвременно конца
    И думал: Парки час настанет.
Уж очи покрывал Эреба мрак густой,
    Уж сердце медленнее билось:
Я вянул, исчезал, и жизни молодой,
    Казалось, солнце закатилось.
Но ты приближилась, о жизнь души моей,
    И алых уст твоих дыханье,
И слезы пламенем сверкающих очей,
    И поцалуев сочетанье,
И вздохи страстные, и сила милых слов
    Меня из области печали —
От Орковых полей, от Леты берегов —
    Для сладострастия призвали.
Ты снова жизнь даешь; она твой дар благой,
    Тобой дышать до гроба стану.
Мне сладок будет час и муки роковой:
    Я от любви теперь увяну.

⟨1807?⟩

ПРИВИДЕНИЕ

Из Парни

Посмотрите! в двадцать лет
Бледность щеки покрывает;
С утром вянет жизни цвет:
Парка дни мои считает
И отсрочки не дает.
Что же медлить! Ведь Зевеса
Плач и стон не укротит.
Смерти мрачной занавеса
Упадет — и я забыт!
Я забыт... но из могилы,
Если можно воскресать,
Я не стану, друг мой милый,
Как мертвец тебя пугать.
В час полуночных явлений
Я не стану в виде тени,
То внезапну, то тишком,
С воплем в твой являться дом.
Нет, по смерти невидимкой
Буду вкруг тебя летать;
На груди твоей под дымкой
Тайны прелести лобзать;
Стану всюду развевать
Легким уст прикосновеньем,
Как зефира дуновеньем,
От каштановых волос
Тонкий запах свежих роз.
Если лилия листами
Ко груди твоей прильнет,
Если яркими лучами
В камельке огонь блеснет,
Если пламень потаенный
По ланитам пробежал,

Если пояс сокровенной
Развязался и упал, —
Улыбнися, друг бесценной,
Это — я! Когда же ты,
Сном закрыв прелестны очи,
Обнажишь во мраке ночи
Роз и лилий красоты,
Я вздохну... и глас мой томной,
Арфы голосу подобной,
Тихо в воздухе умрет.
Если ж легкими крылами
Сон глаза твои сомкнет,
Я невидимо с мечтами
Стану плавать над тобой.
Сон твой, Хлоя, будет долог...
Но когда блеснет сквозь полог
Луч денницы золотой,
Ты проснешься... о, блаженство!
Я увижу совершенство...
Тайны прелести красот,
Где сам пламенный Эрот
Оттенил рукой своею
Розой девственну лилею.
Все опять в моих глазах!
Все покровы исчезают;
Час блаженнейший!.. Но, ах!
Мертвые не воскресают.

1810

ЛОЖНЫЙ СТРАХ
Подражание Парни

Помнишь ли, мой друг бесценный!
Как с Амурами тишком,
Мраком ночи окруженный,
Я к тебе прокрался в дом?
Помнишь ли, о друг мой нежной!
Как дрожащая рука
От победы неизбежной
Защищалась — но слегка?
Слышен шум! — ты испугалась!
Свет блеснул и вмиг погас;
Ты к груди моей прижалась,
Чуть дыша... блаженный час!
Ты пугалась — я смеялся.
«Нам ли ведать, Хлоя, страх!
Гименей за все ручался,
И Амуры на часах.
Все в безмолвии глубоком,
Все почило сладким сном!
Дремлет Аргус томным оком
Под Морфеевым крылом!»
Рано утренние розы
Запылали в небесах...
Но любви бесценны слезы,
Но улыбка на устах,
Томно персей волнованье
Под прозрачным полотном —
Молча новое свиданье
Обещали вечерком.
Если б Зевсова десница
Мне вручила ночь и день, —
Поздно б юная денница
Прогоняла черну тень!

Поздно б солнце выходило
На восточное крыльцо:
Чуть блеснуло б и сокрыло
За лес рдяное лицо;
Долго б тени пролежали
Влажной ночи на полях;
Долго б смертные вкушали
Сладострастие в мечтах.
Дружбе дам я час единой,
Вакху час и сну другой.
Остальною ж половиной
Поделюсь, мой друг, с тобой!

⟨1810⟩

ВАКХАНКА

Все на праздник Эригоны
Жрицы Вакховы текли;
Ветры с шумом разнесли
Громкий вой их, плеск и стоны.
В чаще дикой и глухой
Нимфа юная отстала;
Я за ней — она бежала
Легче серны молодой.
Эвры волосы взвевали,
Перевитые плющом;
Нагло ризы поднимали

И свивали их клубком.
Стройный стан, кругом обвитый
Хмеля желтого венцом,
И пылающи ланиты
Розы ярким багрецом,
И уста, в которых тает
Пурпуровый виноград, —
Все в неистовой прельщает!
В сердце льет огонь и яд!
Я за ней... она бежала
Легче серны молодой;
Я настиг — она упала!
И тимпан под головой!
Жрицы Вакховы промчались
С громким воплем мимо нас;
И по роще раздавались
Эвоэ! и неги глас!

⟨*1815*⟩

МОЙ ГЕНИЙ

О память сердца! Ты сильней
Рассудка памяти печальной
И часто сладостью своей
Меня в стране пленяешь дальной.
Я помню голос милых слов,
Я помню очи голубые,
Я помню локоны златые
Небрежно вьющихся власов.

Моей пастушки несравненной
Я помню весь наряд простой,
И образ милый, незабвенной
Повсюду странствует со мной.
Хранитель Гений мой — любовью
В утеху дан разлуке он:
Засну ль? приникнет к изголовью
И усладит печальный сон.

1815

ПРОБУЖДЕНИЕ

Зефир последний свеял сон
С ресниц, окованных мечтами,
Но я — не к счастью пробужден
Зефира тихими крилами.
Ни сладость розовых лучей
Предтечи утреннего Феба,
Ни кроткий блеск лазури неба,
Ни запах, веющий с полей,
Ни быстрый лет коня ретива
По скату бархатных лугов
И гончих лай, и звон рогов
Вокруг пустынного залива —
Ничто души не веселит,
Души, встревоженной мечтами,
И гордый ум не победит
Любви холодными словами.

1815

ПЕТР АНДРЕЕВИЧ ВЯЗЕМСКИЙ

1792—1878

К МНИМОЙ СЧАСТЛИВИЦЕ

Мне грустно, на тебя смотря,
Твоя не верится мне радость,
И розами твоя увенчанная младость
Есть дня холодного блестящая заря.

Нет прозаического счастья
Для поэтической души:
Поэзией любви дни наши хороши,
А ты чужда ее святого сладострастья.

Нет, нет — он не любим тобой;
Нет, нет — любить его не можешь;
В стихии спорные одно движенье вложишь,
С фальшивым верный звук сольешь в согласный строй;

Насильством хитрого искусства
Стесненная, творит природа чудеса,
Но не позволят небеса,
Чтоб предрассудков власть уравнивала чувства.

Сердцам избра́нным дан язык
Непосвященному невнятный;
Кто в таинства его с рожденья не проник,
Тот не постигнет их награды благодатной.

Где в двух сердцах нет тайного сродства,
Поверья общего, сочувствия, понятья,
Там холодны любви права,
Там холодны любви объятья!

Товарищи в земном плену житейских уз,
Друг другу чужды вы вне рокового круга:
Не промысл вас берег и прочил друг для друга,
Но света произвол вам наложил союз.

Я знаю, ты не лицемеришь;
Как свежая роса, душа твоя светла;
Но, суеверная, рассудку слепо веришь
И сердце на его поруку отдала.

Ты веришь, что, как честь, насильственным обетом
И сердце вольное нетрудно обложить,
И что ему под добровольным гнетом
Долг может счастье заменить!

О женщины, какой мудрец вас разгадает?
В вас две природы, в вас два спорят существа.
В вас часто любит голова
И часто сердце рассуждает.

Но силой ли души, иль слепотой почесть,
Когда вы жизни сей, дарами столь убогой,
Надежды лучшие дерзаете принесть
На жертвенник обязанности строгой?

Что к отреченью вас влечет? Какая власть
Вас счастья признаком дарит на плахе счастья?
Смиренья ль чистого возвышенная страсть,
Иль безмятежный сон холодного бесстрастья?

Вы совершенней ли иль хладнокровней нас?
Вы жизни выше ли иль, как в избранный камень
От Пигмальоновой любви, равно и в вас
      Ударить должен чистый пламень?

Иль, в тяжбе с обществом и с силою в борьбе,
Страшась испытывать игру превратных долей,
Заране ищете убежища себе
      В благоразумьи и неволе?

Умеренность — расчет, когда начнут от лет
Ум боле поверять, а сердце меней верить,
Необходимостью свои желанья мерить —
Нам и природы глас и опыта совет.

Но в возраст тот, когда печальных истин свиток
В мерцаньи радужном еще сокрыт от нас,
Для сердца жадного и самый благ избыток
      Есть недостаточный запас.

      А ты, разбив сосуд волшебный
И с жизни оборвав поэзии цветы,
Чем сердце обольстишь, когда рукой враждебной
      Сердечный мир разворожила ты?

Есть к счастью выдержка в долине зол и плача,
Но в свет заброшенный небесный сей залог
Не положительный известных благ итог,
Не алгеброй ума решенная задача.

Нет, вдохновением дается счастье нам,
Как искра творчества живой душе поэта,
      Как розе свежий фимиам,
Как нега звучная певцу любви и лета.

И горе смертному, который в слепоте
Взысканьям общества сей вышний дар уступит,
      Иль, робко жертвуя приличью и тщете,
Земные выгоды его ценою купит.

      Мне грустно, на тебя смотря;
      Твоя не верится мне радость,
И розами твоя увенчанная младость
Есть дня холодного блестящая заря.

С полудня светлого переселенец милый,
Цветок, предчувствие о лучшей стороне,
К растенью севера привитый гневной силой,
Цветет нерадостно, тоскуя по весне.

Иль, жертва долгая минуты ослепленья,
Младая пери, дочь воздушныя семьи,
Из чаши благ земных не почерпнет забвенья
Обетованных ей восторгов и любви.

Любуйся тишиной под небом безмятежным,
Но хлад рассудка, хлад до сердца не проник;
В нем пламень не потух; так под убором снежным
Кипит невидимо земных огней тайник.

В сердечном забытьи, а не во сне спокойном,
Еще таишь в себе мятежных дум следы;
Еще тоскуешь ты о бурях, небе знойном,
Под коим зреют в нас душевные плоды.

Завидуя мученьям милым
И бурным радостям, неведомым тебе,
Хотела б жертвовать ты счастием постылым
Страстей волненью и борьбе.

⟨1825⟩

ПРОСТОВОЛОСАЯ ГОЛОВКА

Простоволосая головка,
Улыбчивость лазурных глаз,
И своенравная уловка,
И блажь затейливых проказ —

Все в ней так молодо, так живо,
Так не похоже на других,
Так поэтически игриво,
Как Пушкина веселый стих.

Пусть спесь губернской прозы трезвой,
Чинясь, косится на нее,
Поэзией живой и резвой
Она всегда возьмет свое.

Она пылит, она чудесит,
Играет жизнью, и, шутя,
Она влечет к себе и бесит,
Как своевольное дитя.

Она дитя, резвушка, мальчик,
Но мальчик, всем знакомый нам,
Которого лукавый пальчик
Грозит и смертным и богам.

У них во всем одни приемы,
В сердца играют заодно:
Кому глаза ее знакомы,
Того уж сглазили давно.

Ее игрушка — *сердцеловка*,
Поймает сердце и швырнет;
Простоволосая головка
Всех поголовно поберет!

Июль 1828

ПАВЕЛ АЛЕКСАНДРОВИЧ КАТЕНИН

1792—1853

ЛЮБОВЬ

О чем, о чем в тени ветвей
Поешь ты ночью, соловей?
Что песнь твою к подруге милой
Живит огнем и полнит силой,
Колеблет грудь, волнует кровь?
Живущих всех душа: любовь.

Не сетуй, девица-краса!
Дождешься радостей часа.
Зачем в лице завяли розы?
Зачем из глаз лиются слезы?
К веселью душу приготовь;
Его дарит тебе: любовь.

Покуда дней златых весна,
Отрадой нам любовь одна.
Ловите, юноши, украдкой
Блаженный час, час неги сладкой;
Пробьет... любите вновь и вновь;
Земного счастья верх: любовь.

⟨1827 (?)⟩

МИХАИЛ ВАСИЛЬЕВИЧ МИЛОНОВ

1792—1821

ПАДЕНИЕ ЛИСТЬЕВ

Элегия

Рассыпан осени рукою,
Лежал поблекший лист кустов;
Зимы предтеча, страх с тоскою
Умолкших прогонял певцов;
Места сии опустошенны
Страдалец юный проходил;
Их вид во дни его блаженны
Очам его приятен был.
«Твое, о роща, опустенье
Мне предвещает жребий мой,
И каждого листа в паденье
Я вижу смерть перед собой!
О Эпидавра прорицатель!
Ужасный твой мне внятен глас:
«Долин отцветших созерцатель,
Ты здесь уже в последний раз!

Твоя весна скорей промчится,
Чем пожелтеет лист в полях
И с стебля сельный цвет свалится».
И гроб отверст в моих очах!
Осенни ветры восшумели
И дышат хладом средь полей,
Как призрак легкий, улетели
Златые дни весны моей!
Вались, валися, лист мгновенный,
И скорбной матери моей
Мой завтра гроб уединенный
Сокрой от слезных ты очей!
Когда ж к нему, с тоской, с слезами
И с распущенными придет
Вокруг лилейных плеч власами
Моих подруга юных лет,
В безмолвье осени угрюмом,
Как станет помрачаться день,
Тогда буди ты легким шумом
Мою утешенную тень!»
Сказал — и в путь свой устремился,
Назад уже не приходил;
Последний с древа лист сронился,
Последний час его пробил.
Близ дуба юноши могила;
Но, с скорбию в душе своей,
Подруга к ней не приходила,
Лишь пастырь, гость нагих полей,
Порой вечерния зарницы,
Гоня стада свои с лугов,
Глубокий мир его гробницы
Тревожит шорохом шагов.

⟨1819⟩

АЛЕКСАНДР СЕРГЕЕВИЧ ГРИБОЕДОВ

1795—1829

РОМАНС

Ах! точно ль никогда ей в персях безмятежных
Желанье тайное не волновало кровь?
Еще не сведала тоски, томлений нежных?
    Еще не знает про любовь?

Ах! точно ли никто, счастливец, не сыскался,
Ей друг? по сердцу ей? который бы сгорал
В объятиях ее? в них негой упивался,
    Роскошствовал и обмирал?..

Нет! Нет! Куда влекусь неробкими мечтами?
Тот друг, тот избранный; он где-нибудь, он есть,
Любви волшебство! рай! восторги! трепет! — Вами,
    Нет, — не моей душе процвесть.

⟨*Декабрь 1823 — январь 1824*⟩

ВЛАДИМИР ФЕДОСЕЕВИЧ РАЕВСКИЙ

1795—1872

* * *

О милая, прости минутному стремленью:
Желаньем движимый причину благ познать,
Могу ли, слабый, я всесильному влеченью
Природы-матери в борьбе противустать?
И чувства покорить холодному сужденью?
     Лауры пламенный певец,
     Лаурой вдохновенный,
При ⟨плесках⟩ лавровый венец
В награду получил за свой талант смиренный!
Поэту юному, мне ль вслед ему парить?
Бессмертие удел феномену-поэту!
Я не могу, как он, быть изумленьем света,
Но пламенней его могу тебя любить!

⟨1810-е⟩

КОНДРАТИЙ ФЕДОРОВИЧ РЫЛЕЕВ

1795—1826

K N. N.

Ты посетить, мой друг, желала
Уединенный угол мой,
Когда душа изнемогала
В борьбе с болезнью роковой.

Твой милый взор, твой взор волшебный
Хотел страдальца оживить,
Хотела ты покой целебный
В взволнованную душу влить.

Твое отрадное участье,
Твое вниманье, милый друг,
Мне снова возвращают счастье
И исцеляют мой недуг.

Я не хочу любви твоей,
Я не могу ее присвоить;
Я отвечать не в силах ей,
Моя душа твоей не стоит.

Полна душа твоя всегда
Одних прекрасных ощущений,
Ты бурных чувств моих чужда,
Чужда моих суровых мнений.

Прощаешь ты врагам своим —
Я не знаком с сим чувством нежным
И оскорбителям моим
Плачу отмщеньем неизбежным.

Лишь временно кажусь я слаб,
Движеньями души владею;
Не христианин и не раб,
Прощать обид я не умею.

Мне не любовь твоя нужна,
Занятья нужны мне иные:
Отрада мне одна война,
Одни тревоги боевые.

Любовь никак нейдет на ум:
Увы! моя отчизна страждет, —
Душа в волненье тяжких дум
Теперь одной свободы жаждет.

⟨1824 или 1825⟩

ИВАН ПЕТРОВИЧ МЯТЛЕВ

1796—1844

РОЗЫ

Как хороши, как свежи были розы
В моем саду! Как взор прельщали мой!
Как я молил весенние морозы
Не трогать их холодною рукой!

Как я берег, как я лелеял младость
Моих цветов заветных, дорогих;
Казалось мне, в них расцветала радость;
Казалось мне, любовь дышала в них.

Но в мире мне явилась дева рая,
Прелестная, как ангел красоты;
Венка из роз искала молодая —
И я сорвал заветные цветы.

И мне в венке цветы еще казались
На радостном челе красивее, свежей;
Как хорошо, как мило соплетались
С душистою волной каштановых кудрей!

И заодно они цвели с девицей!
Среди подруг, средь плясок и пиров,
В венке из роз она была царицей,
Вокруг ее вились и радость и любовь!

В ее очах — веселье, жизни пламень,
Ей счастье долгое сулил, казалось, рок, —
И где ж она?.. В погосте белый камень,
На камне — роз моих завянувший венок.

⟨1834⟩

АЛЕКСАНДР АЛЕКСАНДРОВИЧ БЕСТУЖЕВ

1797—1837

ОЖИВЛЕНИЕ

Чуть крылатая весна
Радостью повеет,
Оживает старина,
Сердце молодеет;
Присмирелые мечты
Рвут долой оковы,
Словно юные цветы
Рядятся в обновы,
И любви златые сны,
Осеняя вежды,
Вновь и вновь озарены
Радугой надежды.

1829

РАЗЛУКА

О дева, дева,
Звучит труба!
Румянцем гнева
Горит судьба!
Уж сердце к бою
Замкнула сталь,
Передо мною
Разлуки даль.
Но всюду, всюду,
Вблизи, вдали,
Не позабуду
Родной земли;
И вечно, вечно —
Клянусь, сулю! —
Моей сердечной
Не разлюблю.
Ни день истомы,
И страх, и месть,
Ни битвы громы,
Ни славы лесть,
Ни кубок пенный,
Ни шумный хор,
Ни девы пленной
Манящий взор...

. . . .

1829
Якутск

ВИЛЬГЕЛЬМ КАРЛОВИЧ КЮХЕЛЬБЕКЕР

1797—1846

ПРОБУЖДЕНИЕ

Благодатное забвенье
Отлетело с томных вежд;
И в груди моей мученье
Всех разрушенных надежд.

Что несешь мне, день грядущий?
Отцвели мои цветы;
Слышу голос, вас зовущий,
Вас, души моей мечты!

И взвились они толпою
И уносят за собой
Юных дней моих с весною
Жизнь и радость и покой.

Но не ты ль, Любовь святая,
Мне хранителем дана!
Так лети ж, мечта златая,
Увядай, моя весна!

⟨1820⟩

ЛЮБОВЬ

Податель счастья и мученья,
Тебя ли я встречаю вновь?
И даже в мраке заточенья
Ты обрела меня, любовь!

Увы! почто твои приветы?
К чему улыбка мне твоя?
Твоим светилом ли согретый
Воскресну вновь для жизни я?

Нет! минула пора мечтаний,
Пора надежды и любви:
От мраза лютого страданий
Хладеет ток моей крови.

Для узника ли взоров страстных
Восторг, и блеск, и темнота? —
Погаснет луч в парах ненастных:
Забудь страдальца, красота!

⟨1829⟩

НИКОЛАЙ ГРИГОРЬЕВИЧ ЦЫГАНОВ

1797—1831

* * *

— Не шей ты мне, матушка,
    Красный сарафан,
Не входи, родимушка,
    Попусту в изъян!

Рано мою косыньку
    На две расплетать!
Прикажи мне русую
    В ленту убирать!

Пущай, не покрытая
    Шелковой фатой,
Очи молодецкие
    Веселит собой!

То ли житье девичье,
    Чтоб его менять,
Торопиться замужем
    Охать да вздыхать.

Золотая волюшка
    Мне милей всего —
Не хочу я с волюшкой
    В свете ничего!

— Дитя мое, дитятко,
    Дочка милая!
Головка победная,
    Неразумная!

Не век тебе пташечкой
    Звонко распевать,
Легкокрылой бабочкой
    По цветам порхать.

Заблекнут на щеченьках
    Маковы цветы,
Прискучат забавушки —
    Стоскуешься ты!

А мы и при старости
    Себя веселим:
Младость вспоминаючи,
    На детей глядим.

И я молодешенька
    Была такова,
И мне те же в девушках
    Пелися слова!

1834

АНТОН АНТОНОВИЧ ДЕЛЬВИГ

1798—1831

ПЕРВАЯ ВСТРЕЧА

Мне минуло шестнадцать лет,
    Но сердце было в воле;
Я думала: весь белый свет
    Наш бор, поток и поле.

К нам юноша пришел в село:
    Кто он? отколь? не знаю —
Но все меня к нему влекло,
    Все мне твердило: знаю!

Его кудрявые власы
    Вкруг шеи обвивались,
Как мак сияет от росы,
    Сияли, рассыпались.

И взоры пламенны его
    Мне что-то изъясняли;
Мы не сказали ничего,
    Но уж друг друга знали.

Куда пойду — и он за мной.
　　На долгую ль разлуку?
Не знаю! только он с тоской
　　Безмолвно жал мне руку.

«Что хочешь ты? — спросила я. —
　　Скажи, пастух унылый».
И с жаром обнял он меня
　　И тихо назвал милой.

И мне б тогда его обнять!
　　Но рук не поднимала,
На перси потупила взгляд,
　　Краснела, трепетала.

Ни слова не сказала я;
　　За что ж ему сердиться?
Зачем покинул он меня?
　　И скоро ль возвратится?

1814

ЛЮБОВЬ

Что есть любовь? Несвязный сон.
Сцепление очарований!
И ты в объятиях мечтаний
То издаешь унылый стон,

То дремлешь в сладком упоенье,
Кидаешь руки за мечтой
И оставляешь сновиденье
С больной, тяжелой головой.

⟨Между 1814—1817⟩

ФАНИ

(Горацианская ода)

Мне ль под оковами Гимена
Все видеть то же и одно?
Мое блаженство — перемена,
Я дев меняю, как вино.

Темира, Дафна и Лилета
Давно, как сон, забыты мной,
И их для памяти поэта
Хранит лишь стих удачный мой.

Чем с девой робкой и стыдливой
Случайно быть наедине,
Дрожать и миг любви счастливой
Ловить в ее притворном сне —

Не слаще ли прелестной Фани
Послушным быть учеником,
Платить любви беспечно дани
И оживлять восторги сном?

⟨Между 1814 и 1817⟩

ЭЛЕГИЯ

Когда, душа, просилась ты
    Погибнуть иль любить,
Когда желанья и мечты
    К тебе теснились жить,
Когда еще я не пил слез
    Из чаши бытия, —
Зачем тогда в венке из роз
    К теням не отбыл я!

Зачем вы начертались так
    На памяти моей,
Единой молодости знак,
    Вы, песни прошлых дней!
Я горько долы и леса
    И милый взгляд забыл, —
Зачем же ваши голоса
    Мне слух мой сохранил!

Не возвратите счастье мне,
    Хоть дышит в вас оно!
С ним в промелькнувшей старине
    Простился я давно.
Не нарушайте ж, я молю,
    Вы сна души моей
И слова страшного «люблю»
    Не повторяйте ей!

⟨1821 или 1822⟩

СОНЕТ

Я плыл один с прекрасною в гондоле,
Я не сводил с нее моих очей;
Я говорил в раздумье сладком с ней
Лишь о любви, лишь о моей неволе.

Брега́ цвели, пестрело жатвой поле,
С лугов бежал лепечущий ручей,
Все нежилось. — Почто ж в душе моей
Не радости, унынья было боле?

Что мне шептал ревнивый сердца глас?
Чего еще душе моей страшиться?
Иль всем моим надеждам не свершиться?

Иль и любовь польстила мне на час?
И мой удел, не осушая глаз,
Как сей поток, с роптанием сокрыться?

1822

РОМАНС

Не говори: любовь пройдет,
О том забыть твой друг желает;
В ее он вечность уповает,
Ей в жертву счастье отдает.

Зачем гасить душе моей
Едва блеснувшие желанья?
Хоть миг позволь мне без роптанья
Предаться нежности твоей.

За что страдать? Что мне в любви
Досталось от небес жестоких
Без горьких слез, без ран глубоких,
Без утомительной тоски?

Любви дни краткие даны,
Но мне не зреть ее остылой;
Я с ней умру, как звук унылый
Внезапно порванной струны.

1823

РОМАНС

Прекрасный день, счастливый день:
    И солнце, и любовь!
С нагих полей сбежала тень —
    Светлеет сердце вновь.
Проснитесь, рощи и поля;
    Пусть жизнью все кипит:
Она моя, она моя!
    Мне сердце говорит.

Что вьешься, ласточка, к окну,
        Что, вольная, поешь?
Иль ты щебечешь про весну
        И с ней любовь зовешь?
Но не ко мне, — и без тебя
        В певце любовь горит:
Она моя, она моя!
        Мне сердце говорит.

1823

РОМАНС

Только узнал я тебя —
И трепетом сладким впервые
Сердце забилось во мне.

Сжала ты руку мою —
И жизнь, и все радости жизни
В жертву тебе я принес.

Ты мне сказала «люблю» —
И чистая радость слетела
В мрачную душу мою.

Молча гляжу на тебя —
Нет слова все муки, все счастье
Выразить страсти моей.

Каждую светлую мысль,
Высокое каждое чувство
Ты зарождаешь в душе.

1823

РАЗОЧАРОВАНИЕ

Протекших дней очарованья,
Мне вас душе не возвратить!
В любви узнав одни страданья,
Она утратила желанья
И вновь не просится любить.

К ней сны младые не забродят,
Опять с надеждой не мирят,
В странах волшебных с ней не ходят,
Веселых песен не заводят
И сладких снов не говорят.

Ее один удел печальный:
Года бесчувственно провесть
И в край, для горестных не дальный,
Под глас молитвы погребальной,
Одни молитвы перенесть.

1824

РУССКАЯ ПЕСНЯ

Соловей мой, соловей,
Голосистый соловей!
Ты куда, куда летишь,
Где всю ночку пропоешь?
Кто-то бедная, как я,
Ночь прослушает тебя,
Не смыкаючи очей,
Утопаючи в слезах?
Ты лети, мой соловей,
Хоть за тридевять земель,
Хоть за синие моря,
На чужие берега;
Побывай во всех странах,
В деревнях и в городах:
Не найти тебе нигде
Горемышнее меня.
У меня ли у младой
Дорог жемчуг на груди,
У меня ли у младой
Жар-колечко на руке,
У меня ли у младой
В сердце миленький дружок.
В день осенний на груди
Крупный жемчуг потускнел,
В зимню ночку на руке
Распаялося кольцо,
А как нынешней весной
Разлюбил меня милой.

1825

СЛЕЗЫ ЛЮБВИ

Сладкие слезы первой любви, как роса, вы иссохли!
— Нет! на бессмертных цветах в светлом раю мы блестим!

1829

* * *

За что, за что ты отравила
Неисцелимо жизнь мою?
Ты как дитя мне говорила:
«Верь сердцу, я тебя люблю!»

И мне ль не верить? Я так много,
Так долго с пламенной душой
Страдал, гонимый жизнью строгой,
Далекий от семьи родной.

Мне ль хладным быть к любви прекрасной?
О, я давно нуждался в ней!
Уж помнил я, как сон неясный,
И ласки матери моей.

И много ль жертв мне нужно было?
Будь непорочна, я просил,
Чтоб вечно я душой унылой
Тебя без ропота любил.

⟨*1829 или 1830*⟩

АЛЕКСАНДР СЕРГЕЕВИЧ ПУШКИН

1799—1837

ПЕВЕЦ

Слыхали ль вы за рощей глас ночной
Певца любви, певца своей печали?
Когда поля в час утренний молчали,
Свирели звук унылый и простой
       Слыхали ль вы?

Встречали ль вы в пустынной тьме лесной
Певца любви, певца своей печали?
Следы ли слез, улыбку ль замечали,
Иль тихий взор, исполненный тоской,
       Встречали вы?

Вздохнули ль вы, внимая тихий глас
Певца любви, певца своей печали?
Когда в лесах вы юношу видали,
Встречая взор его потухших глаз,
       Вздохнули ль вы?

1816

* * *

Редеет облаков летучая гряда.
Звезда печальная, вечерняя звезда!
Твой луч осеребрил увядшие равнины,
И дремлющий залив, и черных скал вершины.
Люблю твой слабый свет в небесной вышине;
Он думы разбудил, уснувшие во мне:
Я помню твой восход, знакомое светило,
Над мирною страной, где все для сердца мило,
Где стройны тополы в долинах вознеслись,
Где дремлет нежный мирт и темный кипарис,
И сладостно шумят полуденные волны.
Там некогда в горах, сердечной думы полный,
Над морем я влачил задумчивую лень,
Когда на хижины сходила ночи тень —
И дева юная во мгле тебя искала
И именем своим подругам называла.

1820

НОЧЬ

Мой голос для тебя и ласковый и томный
Тревожит позднее молчанье ночи темной.
Близ ложа моего печальная свеча
Горит; мои стихи, сливаясь и журча,
Текут, ручьи любви, текут, полны тобою.
Во тьме твои глаза блистают предо мною,
Мне улыбаются, и звуки слышу я:
Мой друг, мой нежный друг... люблю... твоя... твоя...

1823

* * *

Простишь ли мне ревнивые мечты,
Моей любви безумное волненье?
Ты мне верна: зачем же любишь ты
Всегда пугать мое воображенье?
Окружена поклонников толпой,
Зачем для всех казаться хочешь милой,
И всех дарит надеждою пустой
Твой чудный взор, то нежный, то унылый?
Мной овладев, мне разум омрачив,
Уверена в любви моей несчастной,
Не видишь ты, когда, в толпе их страстной
Беседы чужд, один и молчалив,
Терзаюсь я досадой одинокой;
Ни слова мне, ни взгляда... друг жестокий!
Хочу ль бежать, — с боязнью и мольбой
Твои глаза не следуют за мной.
Заводит ли красавица другая
Двусмысленный со мною разговор, —
Спокойна ты; веселый твой укор
Меня мертвит, любви не выражая.
Скажи еще: соперник вечный мой,
Наедине застав меня с тобой,
Зачем тебя приветствует лукаво?..
Что ж он тебе? Скажи, какое право
Имеет он бледнеть и ревновать?..
В нескромный час меж вечера и света,
Без матери, одна, полуодета,
Зачем его должна ты принимать?..
Но я любим... Наедине со мною
Ты так нежна! Лобзания твои
Так пламенны! Слова твоей любви
Так искренно полны твоей душою!
Тебе смешны мучения мои;

Но я любим, тебя я понимаю.
Мой милый друг, пе мучь меня, молю:
Не знаешь ты, как сильно я люблю,
Не знаешь ты, как тяжко я страдаю.

1823

СОЖЖЕННОЕ ПИСЬМО

Прощай, письмо любви, прощай! Она велела...
Как долго медлил я, как долго не хотела
Рука предать огню все радости мои!..
Но полно, час настал: гори, письмо любви.
Готов я; ничему душа моя не внемлет.
Уж пламя жадное листы твои приемлет...
Минуту!.. вспыхнули... пылают... легкий дым,
Виясь, теряется с молением моим.
Уж перстня верного утратя впечатленье,
Растопленный сургуч кипит... О провиденье!
Свершилось! Темные свернулися листы;
На легком пепле их заветные черты
Белеют... Грудь моя стеснилась. Пепел милый,
Отрада бедная в судьбе моей унылой,
Останься век со мной на горестной груди...

1825

ЖЕЛАНИЕ СЛАВЫ

Когда, любовию и негой упоенный,
Безмолвно пред тобой коленопреклоненный,
Я на тебя глядел и думал: ты моя, —
Ты знаешь, милая, желал ли славы я;
Ты знаешь: удален от ветреного света,
Скучая суетным прозванием поэта,
Устав от долгих бурь, я вовсе не внимал
Жужжанью дальному упреков и похвал.
Могли ль меня молвы тревожить приговоры,
Когда, склонив ко мне томительные взоры
И руку на главу мне тихо наложив,
Шептала ты: скажи, ты любишь, ты счастлив?
Другую, как меня, скажи, любить не будешь?
Ты никогда, мой друг, меня не позабудешь?
А я стесненное молчание хранил,
Я наслаждением весь полон был, я мнил,
Что нет грядущего, что грозный день разлуки
Не придет никогда... И что же? Слезы, муки,
Измены, клевета, все на главу мою
Обрушилося вдруг... Что я, где я? Стою,
Как путник, молнией постигнутый в пустыне,
И все передо мной затмилося! И ныне
Я новым для меня желанием томим:
Желаю славы я, чтоб именем моим
Твой слух был поражен всечасно, чтоб ты мною
Окружена была, чтоб громкою молвою
Все, все вокруг тебя звучало обо мне,
Чтоб, гласу верному внимая в тишине,
Ты помнила мои последние моленья
В саду, во тьме ночной, в минуту разлученья.

1825

* * *

Храни меня, мой талисман,
Храни меня во дни гоненья,
Во дни раскаянья, волненья:
Ты в день печали был мне дан.

Когда подымет океан
Вокруг меня валы ревучи,
Когда грозою грянут тучи —
Храни меня, мой талисман.

В уединенье чуждых стран,
На лоне скучного покоя,
В тревоге пламенного боя
Храни меня, мой талисман.

Священный сладостный обман,
Души волшебное светило...
Оно сокрылось, изменило...
Храни меня, мой талисман.

Пускай же ввек сердечных ран
Не растравит воспоминанье.
Прощай, надежда; спи, желанье;
Храни меня, мой талисман.

1825

* * *

Все в жертву памяти твоей:
И голос лиры вдохновенной,
И слезы девы воспаленной,
И трепет ревности моей,
И славы блеск, и мрак изгнанья,
И светлых мыслей красота,
И мщенье, бурная мечта
Ожесточенного страданья.

1825

* * *

В крови горит огонь желанья,
Душа тобой уязвлена,
Лобзай меня: твои лобзанья
Мне слаще мирра и вина.
Склонись ко мне главою нежной,
И да почию безмятежный,
Пока дохнет веселый день
И двинется ночная тень.

1825

ПРИЗНАНИЕ

К Александре Ивановне Осиповой

Я вас люблю — хоть я бешусь,
Хоть это труд и стыд напрасный,
И в этой глупости несчастной
У ваших ног я признаюсь!
Мне не к лицу и не по летам...
Пора, пора мне быть умней!
Но узнаю по всем приметам
Болезнь любви в душе моей:
Без вас мне скучно, — я зеваю;
При вас мне грустно, — я терплю;
И, мочи нет, сказать желаю,
Мой ангел, как я вас люблю!
Когда я слышу из гостиной
Ваш легкий шаг, иль платья шум,
Иль голос девственный, невинный,
Я вдруг теряю весь свой ум.
Вы улыбнетесь — мне отрада;
Вы отвернетесь — мне тоска;
За день мучения — награда
Мне ваша бледная рука.
Когда за пяльцами прилежно
Сидите вы, склонясь небрежно,
Глаза и кудри опустя, —
Я в умиленье, молча, нежно
Любуюсь вами, как дитя!..
Сказать ли вам мое несчастье,
Мою ревнивую печаль,
Когда гулять, порой, в ненастье,
Вы собираетеся вдаль?
И ваши слезы в одиночку,
И речи в уголку вдвоем,

И путешествие в Опочку,
И фортепьяно вечерком?..
Алина! сжальтесь надо мною.
Не смею требовать любви:
Быть может, за грехи мои,
Мой ангел, я любви не стою!
Но притворитесь! Этот взгляд
Все может выразить так чудно!
Ах, обмануть меня не трудно!..
Я сам обманываться рад!

1826

К**

Ты богоматерь, нет сомненья,
Не та, которая красой
Пленила только дух святой,
Мила ты всем без исключенья;
Не та, которая Христа
Родила, не спросясь супруга.
Есть бог другой земного круга —
Ему послушна красота,
Он бог Парни, Тибулла, Мура,
Им мучусь, им утешен я.
Он весь в тебя — ты мать Амура,
Ты богородица моя.

1826

ЕК. Н. УШАКОВОЙ

В отдалении от вас
С вами буду неразлучен,
Томных уст и томных глаз
Буду памятью размучен;
Изнывая в тишине,
Не хочу я быть утешен, —
Вы ж вздохнете ль обо мне,
Если буду я повешен?

1827

ТЫ И ВЫ

Пустое *вы* сердечным *ты*
Она, обмолвясь, заменила
И все счастливые мечты
В душе влюбленной возбудила.
Пред ней задумчиво стою,
Свести очей с нее нет силы;
И говорю ей: как *вы* милы!
И мыслю: как *тебя* люблю!

1828

ЕЕ ГЛАЗА

(В ответ на стихи князя Вяземского)

Она мила — скажу меж нами —
Придворных витязей гроза,
И можно с южными звездами
Сравнить, особенно стихами,
Ее черкесские глаза,
Она владеет ими смело,
Они горят огня живей;
Но, сам признайся, то ли дело
Глаза Олениной моей!
Какой задумчивый в них гений,
И сколько детской простоты,
И сколько томных выражений,
И сколько неги и мечты!..
Потупит их с улыбкой Леля —
В них скромных граций торжество;
Поднимет — ангел Рафаэля
Так созерцает божество.

1828

* * *

Не пой, красавица, при мне
Ты песен Грузии печальной:
Напоминают мне оне
Другую жизнь и берег дальный.

Увы! напоминают мне
Твои жестокие напевы
И степь, и ночь — и при луне
Черты далекой, бедной девы!..

Я призрак милый, роковой,
Тебя увидев, забываю;
Но ты поешь — и предо мной
Его я вновь воображаю.

Не пой, красавица, при мне
Ты песен Грузии печальной:
Напоминают мне оне
Другую жизнь и берег дальный.

1828

* * *

Когда в объятия мои
Твой стройный стан я заключаю
И речи нежные любви
Тебе с восторгом расточаю,
Безмолвна, от стесненных рук
Освобождая стан свой гибкий,
Ты отвечаешь, милый друг,
Мне недоверчивой улыбкой;
Прилежно в памяти храня
Измен печальные преданья,

Ты без участья и вниманья
Уныло слушаешь меня...
Кляну коварные старанья
Преступной юности моей
И встреч условных ожиданья
В садах, в безмолвии ночей.
Кляну речей любовный шепот,
Стихов таинственный напев,
И ласки легковерных дев,
И слезы их, и поздний ропот.

1830

* * *

Подъезжая под Ижоры,
Я взглянул на небеса
И воспомнил ваши взоры,
Ваши синие глаза.
Хоть я грустно очарован
Вашей девственной красой,
Хоть вампиром именован
Я в губернии Тверской,
Но колен моих пред вами
Преклонить я не посмел
И влюбленными мольбами
Вас тревожить не хотел.
Упиваясь неприятно
Хмелем светской суеты,

Позабуду, вероятно,
Ваши милые черты,
Легкий стан, движений стройность,
Осторожный разговор,
Эту скромную спокойность,
Хитрый смех и хитрый взор.
Если ж нет... по прежню следу
В ваши мирные края
Через год опять заеду
И влюблюсь до ноября.

1829

* * *

На холмах Грузии лежит ночная мгла;
    Шумит Арагва предо мною.
Мне грустно и легко; печаль моя светла;
    Печаль моя полна тобою,
Тобой, одной тобой... Унынья моего
    Ничто не мучит, не тревожит,
И сердце вновь горит и любит — оттого,
    Что не любить оно не может.

1829

КАЛМЫЧКЕ

Прощай, любезная калмычка!
Чуть-чуть, назло моих затей,
Меня похвальная привычка
Не увлекла среди степей
Вслед за кибиткою твоей.
Твои глаза, конечно, узки,
И плосок нос, и лоб широк,
Ты не лепечешь по-французски,
Ты шелком не сжимаешь ног,
По-английски пред самоваром
Узором хлеба не крошишь,
Не восхищаешься Сен-Маром,
Слегка Шекспира не ценишь,
Не погружаешься в мечтанье,
Когда нет мысли в голове,
Не распеваешь: Ma dov'è[1],
Галоп не прыгаешь в собранье...
Что нужды? — Ровно полчаса,
Пока коней мне запрягали,
Мне ум и сердце занимали
Твой взор и дикая краса.
Друзья! не все ль одно и то же:
Забыться праздною душой
В блестящей зале, в модной ложе
Или в кибитке кочевой?

1829

---

[1] Но где (*ит.*).

ЗИМНЕЕ УТРО

Мороз и солнце; день чудесный!
Еще ты дремлешь, друг прелестный —
Пора, красавица, проснись:
Открой сомкнуты негой взоры
Навстречу северной Авроры,
Звездою севера явись!

Вечор, ты помнишь, вьюга злилась,
На мутном небе мгла носилась;
Луна, как бледное пятно,
Сквозь тучи мрачные желтела,
И ты печальная сидела —
А нынче... погляди в окно:

Под голубыми небесами
Великолепными коврами,
Блестя на солнце, снег лежит;
Прозрачный лес один чернеет,
И ель сквозь иней зеленеет,
И речка подо льдом блестит.

Вся комната янтарным блеском
Озарена. Веселым треском
Трещит затопленная печь.
Приятно думать у лежанки.
Но знаешь: не велеть ли в санки
Кобылку бурую запречь?

Скользя по утреннему снегу,
Друг милый, предадимся бегу
Нетерпеливого коня
И навестим поля пустые,
Леса, недавно столь густые,
И берег, милый для меня.

1829

* * *

Я вас любил: любовь еще, быть может,
В душе моей угасла не совсем;
Но пусть она вас больше не тревожит;
Я не хочу печалить вас ничем.
Я вас любил безмолвно, безнадежно,
То робостью, то ревностью томим;
Я вас любил так искренно, так нежно,
Как дай вам бог любимой быть другим.

1829

* * *

Что в имени тебе моем?
Оно умрет, как шум печальный
Волны, плеснувшей в берег дальный,
Как звук ночной в лесу глухом.

Оно на памятном листке
Оставит мертвый след, подобный
Узору надписи надгробной
На непонятном языке.

Что в нем? Забытое давно
В волненьях новых и мятежных,
Твоей душе не даст оно
Воспоминаний чистых, нежных.

Но в день печали, в тишине,
Произнеси его тоскуя;
Скажи: есть память обо мне,
Есть в мире сердце, где живу я.

1830

МАДОННА

Сонет

Не множеством картин старинных мастеров
Украсить я всегда желал свою обитель,
Чтоб суеверно им дивился посетитель,
Внимая важному сужденью знатоков.

В простом углу моем, средь медленных трудов,
Одной картины я желал быть вечно зритель,
Одной: чтоб на меня с холста, как с облаков,
Пречистая и наш божественный спаситель —

Она с величием, он с разумом в очах —
Взирали, кроткие, во славе и в лучах,
Одни, без ангелов, под пальмою Сиона.

Исполнились мои желания. Творец
Тебя мне ниспослал, тебя, моя Мадонна,
Чистейшей прелести чистейший образец.

1830

ЭЛЕГИЯ

Безумных лет угасшее веселье
Мне тяжело, как смутное похмелье.
Но, как вино — печаль минувших дней
В моей душе чем старе, тем сильней.
Мой путь уныл. Сулит мне труд и горе
Грядущего волнуемое море.

Но не хочу, о други, умирать;
Я жить хочу, чтоб мыслить и страдать;
И ведаю, мне будут наслажденья
Меж горестей, забот и треволненья:
Порой опять гармонией упьюсь,
Над вымыслом слезами обольюсь,
И может быть — на мой закат печальный
Блеснет любовь улыбкою прощальной.

1830

ПРОЩАНЬЕ

В последний раз твой образ милый
Дерзаю мысленно ласкать,
Будить мечту сердечной силой
И с негой робкой и унылой
Твою любовь воспоминать.

Бегут меняясь наши лета,
Меняя все, меняя нас,
Уж ты для своего поэта
Могильным сумраком одета,
И для тебя твой друг угас.

Прими же, дальная подруга,
Прощанье сердца моего,
Как овдовевшая супруга,
Как друг, обнявший молча друга
Пред заточением его.

1830

* * *

Для берегов отчизны дальной
Ты покидала край чужой;
В час незабвенный, в час печальный
Я долго плакал пред тобой.
Мои хладеющие руки
Тебя старались удержать;
Томленье страшное разлуки
Мой стон молил не прерывать.

Но ты от горького лобзанья
Свои уста оторвала;
Из края мрачного изгнанья
Ты в край иной меня звала.

Ты говорила: «В день свиданья
Под небом вечно голубым,
В тени олив, любви лобзанья
Мы вновь, мой друг, соединим».

Но там, увы, где неба своды
Сияют в блеске голубом,
Где тень олив легла на воды,
Заснула ты последним сном.
Твоя краса, твои страданья
Исчезли в урне гробовой —
А с ними поцелуй свиданья...
Но жду его; он за тобой...

1830

КРАСАВИЦА

*(В альбом Г****)*

Все в ней гармония, все диво,
Все выше мира и страстей;
Она покоится стыдливо
В красе торжественной своей;
Она кругом себя взирает:
Ей нет соперниц, нет подруг;
Красавиц наших бледный круг
В ее сиянье исчезает.

Куда бы ты ни поспешал,
Хоть на любовное свиданье,
Какое б в сердце ни питал
Ты сокровенное мечтанье,—
Но, встретясь с ней, смущенный, ты
Вдруг остановишься невольно,
Благоговея богомольно
Перед святыней красоты.

1832

К***

Нет, нет, не должен я, не смею, не могу
Волнениям любви безумно предаваться;
Спокойствие мое я строго берегу
И сердцу не даю пылать и забываться;
Нет, полно мне любить; но почему ж порой
Не погружуся я в минутное мечтанье,
Когда нечаянно пройдет передо мной
Младое, чистое, небесное созданье,
Пройдет и скроется?.. Ужель не можно мне,
Любуясь девою в печальном сладострастье,
Глазами следовать за ней и в тишине
Благословлять ее на радость и на счастье
И сердцем ей желать все блага жизни сей,
Веселый мир души, беспечные досуги,
Все — даже счастие того, кто избран ей,
Кто милой деве даст название супруги.

1832

* * *

Я думал, сердце позабыло
Способность легкую страдать,
Я говорил: тому, что было,
Уж не бывать! уж не бывать!
Прошли восторги, и печали,
И легковерные мечты...
Но вот опять затрепетали
Пред мощной властью красоты.

1835

* * *

Нет, я не дорожу мятежным наслажденьем,
Восторгом чувственным, безумством, исступленьем,
Стенаньем, криками вакханки молодой,
Когда, виясь в моих объятиях змией,
Порывом пылких ласк и язвою лобзаний
Она торопит миг последних содроганий!

О, как милее ты, смиренница моя!
О, как мучительно тобою счастлив я,
Когда, склоняяся на долгие моленья,
Ты предаешься мне нежна без упоенья,
Стыдливо-холодна, восторгу моему
Едва ответствуешь, не внемлешь ничему
И оживляешься потом все боле, боле —
И делишь наконец мой пламень поневоле!

⟨ *1827 — 1836* ⟩

ЕВГЕНИЙ АБРАМОВИЧ БАРАТЫНСКИЙ

1800—1844

РАЗЛУКА

Расстались мы; на миг очарованьем,
На краткий миг была мне жизнь моя,
Словам любви внимать не буду я,
Не буду я дышать любви дыханьем!
Я все имел, лишился вдруг всего;
Лишь начал сон... исчезло сновиденье!
Одно теперь унылое смущенье
Осталось мне от счастья моего.

⟨1820⟩

РАЗУВЕРЕНИЕ

Не искушай меня без нужды
Возвратом нежности твоей:
Разочарованному чужды
Все обольщенья прежних дней!
Уж я не верю увереньям,
Уж я не верую в любовь

И не могу предаться вновь
Раз изменившим сновиденьям!
Слепой тоски моей не множь,
Не заводи о прежнем слова,
И, друг заботливый, больного
В его дремоте не тревожь!
Я сплю, мне сладко усыпленье;
Забудь бывалые мечты:
В душе моей одно волненье,
А не любовь пробудишь ты.

⟨1821⟩

ПОЦЕЛУЙ

Сей поцелуй, дарованный тобой,
Преследует мое воображенье:
И в шуме дня, и в тишине ночной
Я чувствую его напечатленье!
Сойдет ли сон и взор сомкнет ли мой,
Мне снишься ты, мне снится наслажденье!
Обман исчез, нет счастья! и со мной
Одна любовь, одно изнеможенье.

⟨1822⟩

ДОГАДКА

Любви приметы
Я не забыл,
Я ей служил
В былые леты!
В ней говорит
И жар ланит,
И вздох случайный...
О! я знаком
С сим языком
Любови тайной!
В душе твоей
Уж нет покоя;
Давным-давно я
Читаю в ней:
Любви приметы
Я не забыл,
Я ей служил
В былые леты!

⟨1822⟩

РАЗМОЛВКА

Мне о любви твердила ты шутя,
И холодно сознаться можешь в этом.
Я исцелен; нет, нет, я не дитя!
Прости, я сам теперь знаком со светом.

Кого жалеть? печальней доля чья?
Кто отягчен утратою прямою?
Легко решить: любимым не был я;
Ты, может быть, была любима мною.

⟨1823⟩

ПРИЗНАНИЕ

Притворной нежности не требуй от меня:
Я сердца моего не скрою хлад печальный.
Ты пра́ва, в нем уж нет прекрасного огня
    Моей любви первоначальной.
Напрасно я себе на память приводил
И милый образ твой и прежние мечтанья:
    Безжизненны мои воспоминанья,
    Я клятвы дал, но дал их выше сил.

Я не пленен красавицей другою,
Мечты ревнивые от сердца удали;
Но годы долгие в разлуке протекли,
Но в бурях жизненных развлекся я душою.
    Уж ты жила неверной тенью в ней;
Уже к тебе взывал я редко, принужденно,
    И пламень мой, слабея постепенно,
    Собою сам погас в душе моей.

Верь, жалок я один. Душа любви желает,
    Но я любить не буду вновь;
Вновь не забудусь я: вполне упоевает
    Нас только первая любовь.

Грущу я; но и грусть минует, знаменуя,
Судьбины полную победу надо мной:
Кто знает? мнением сольюся я с толпой;
Подругу без любви, кто знает? изберу я.
На брак обдуманный я руку ей подам
    И в храме стану рядом с нею,
Невинной, преданной, быть может, лучшим снам,
    И назову ее моею,
И весть к тебе придет, но не завидуй нам:
Обмена тайных дум не будет между нами,
Душевным прихотям мы воли не дадим,
    Мы не сердца под брачными венцами,
    Мы жребии свои соединим.

Прощай! Мы долго шли дорогою одною;
Путь новый я избрал, путь новый избери;
Печаль бесплодную рассудком усмири
И не вступай, молю, в напрасный суд со мною.
    Не властны мы в самих себе
    И, в молодые наши леты,
    Даем поспешные обеты,
Смешные, может быть, всевидящей судьбе.

⟨1823⟩

ОПРАВДАНИЕ

Решительно печальных строк моих
Не хочешь ты ответом удостоить;
Не тронулась ты нежным чувством их
И презрела мне сердце успокоить!
Не оживу я в памяти твоей,
Не вымолю прощенья у жестокой!

Виновен я: я был неверен ей;
Нет жалости к тоске моей глубокой!
Виновен я: я славил жен других...
Так! но когда их слух предубежденный
Я обольщал игрою струн моих,
К тебе летел я думой умиленной,
Тебя я пел под именами их.
Виновен я: на балах городских,
Среди толпы, весельем оживленной,
При гуле струн, в безумном вальсе мча
То Делию, то Дафну, то Лилету
И всем троим готовый сгоряча
Произнести по страстному обету;
Касаяся душистых их кудрей
Лицом моим; объемля жадной дланью
Их стройный стан; — так! в памяти моей
Уж не было подруги прежних дней,
И предан был я новому мечтанью!
Но к ним ли я любовию пылал?
Нет, милая! когда в уединеньи
Себя потом я тихо проверял,
Их находя в моем воображеньи,
Тебя одну я в сердце обретал!
Приветливых, послушных без ужимок,
Улыбчивых для шалости младой,
Из-за угла Пафосских пилигримок
Я сторожил вечернею порой;
На миг один их своевольный пленник,
Я только был шалун, а не изменник.
Нет! более надменна, чем нежна,
Ты все еще обид своих полна...
Прости ж навек! но знай, что двух виновных,
Не одного, найдутся имена
В стихах моих, в преданиях любовных.

⟨1824⟩

ЛЮБОВЬ

Мы пьем в любви отраву сладкую;
　　Но всё отраву пьем мы в ней,
И платим мы за радость краткую
　　Ей безвесельем долгих дней.
Огонь любви, огонь живительный,
　　Все говорят; но что мы зрим?
Опустошает, разрушительный,
　　Он душу, объятую им!
Кто заглушит воспоминания
О днях блаженства и страдания,
　　О чудных днях твоих, любовь?
Тогда я ожил бы для радости,
Для снов златых цветущей младости,
　　Тебе открыл бы душу вновь.

⟨1824⟩

ОЖИДАНИЕ

Она придет! к ее устам
Прижмусь устами я моими;
Приют укромный будет нам
Под сими вязами густыми!
Волненьем страстным я томим;
Но близ любезной укротим
Желаний пылких нетерпенье!
Мы ими счастию вредим
И сокращаем наслажденье.

⟨1825⟩

ОНА

Есть что-то в ней, что красоты прекрасней,
Что говорит не с чувствами — с душой;
Есть что-то в ней над сердцем самовластней
Земной любви и прелести земной.

Как сладкое душе воспоминанье,
Как милый свет родной звезды твоей,
Какое-то влечет очарованье
К ее ногам и под защиту к ней.

Когда ты с ней, мечты твоей неясной
Неясною владычицей она:
Не мыслишь ты — и только лишь прекрасной
Присутствием душа твоя полна.

Бредешь ли ты дорогою возвратной,
С ней разлучась, в пустынный угол твой —
Ты полон весь мечтою необъятной,
Ты полон весь таинственной тоской.

⟨*1826*⟩

УВЕРЕНИЕ

Нет, обманула вас молва,
По-прежнему дышу я вами,
И надо мной свои права
Вы не утратили с годами.

Другим курил я фимиам,
Но вас носил в святыне сердца;
Молился новым образам,
Но с беспокойством староверца.

⟨1828(?)⟩

* * *

Когда, дитя и страсти и сомненья,
Поэт взглянул глубоко на тебя,—
Решилась ты делить его волненья,
В нем таинство печали полюбя.

Ты, смелая и кроткая, со мною
В мой дикий ад сошла рука с рукою:
Рай зрела в нем чудесная любовь.

О, сколько раз к тебе, святой и нежной,
Я приникал главой моей мятежной,
С тобой себе и небу веря вновь.

1844

ВАСИЛИЙ ИВАНОВИЧ ТУМАНСКИЙ

1800—1860

НА КОНЧИНУ Р⟨ИЗНИЧ⟩

Сонет

Посвящ⟨ается⟩ А. С. Пушкину

Ты на земле была любви подруга:
Твои уста дышали слаще роз,
В живых очах, не созданных для слез,
Горела страсть, блистало небо Юга.

К твоим стопам с горячностию друга
Склонялся мир — твои оковы нес,
Но Гименей, как северный мороз,
Убил цветок полуденного луга.

И где ж теперь поклонников твоих
Блестящий рой? где страстные рыданья?
Взгляни: к другим уж их влекут желанья,

Уж новый огнь волнует души их,
И для тебя сей голос струн чужих —
Единственный завет воспоминанья!

Июль 1825
Одесса

АЛЕКСАНДР ИВАНОВИЧ ОДОЕВСКИЙ

1802—1839

* * *

Звучит вся жизнь, как звонкий смех,
От жара чувств душа не вянет...
Люблю я всех и пью за всех!
Вина, ей-богу, недостанет!

Я меньше пью, зато к вину
Воды вовек не примешаю...
Люблю одну — и за одну
Всю чашу жизни осушаю!

1828
Чита

Кн. М. Н. ВОЛКОНСКОЙ

Был край, слезам и скорби посвященный,
Восточный край, где розовых зарей
Луч радостный, на небе том рожденный,
Не услаждал страдальческих очей;
Где душен был и воздух вечно ясный,
И узникам кров светлый докучал,
И весь обзор, обширный и прекрасный,
Мучительно на волю вызывал.

Вдруг ангелы с лазури низлетели
С отрадою к страдальцам той страны,
Но прежде свой небесный дух одели
В прозрачные земные пелены.
И вестники благие провиденья
Явилися, как дочери земли,
И узникам, с улыбкой утешенья,
Любовь и мир душевный принесли.

И каждый день садились у ограды.
И сквозь нее небесные уста
По капле им точили мед отрады...
С тех пор лились в темнице дни, лета;
В затворниках печали все уснули,
И лишь они страшились одного,
Чтоб ангелы на небо не вспорхнули,
Не сбросили покрова своего.

25 декабря 1829
Чита

ФЕДОР ИВАНОВИЧ ТЮТЧЕВ

1803—1873

* * *

Я помню время золотое,
Я помню сердцу милый край.
День вечерел; мы были двое;
Внизу, в тени, шумел Дунай.

И на холму, там, где, белея,
Руина замка вдаль глядит,
Стояла ты, младая фея,
На мшистый опершись гранит,

Ногой младенческой касаясь
Обломков груды вековой;
И солнце медлило, прощаясь
С холмом, и замком, и тобой.

И ветер тихий мимолетом
Твоей одеждою играл
И с диких яблонь цвет за цветом
На плечи юные свевал.

Ты беззаботно вдаль глядела...
Край неба дымно гас в лучах;
День догорал; звучнее пела
Река в померкших берегах.

И ты с веселостью беспечной
Счастливый провожала день;
И сладко жизни быстротечной
Над нами пролетала тень.

⟨*Не позднее апреля 1836*⟩

* * *

Люблю глаза твои, мой друг,
С игрой их пламенно-чудесной,
Когда их приподымешь вдруг
И, словно молнией небесной,
Окинешь бегло целый круг...

Но есть сильней очарованья:
Глаза, потупленные ниц
В минуты страстного лобзанья,
И сквозь опущенных ресниц
Угрюмый, тусклый огнь желанья.

⟨*Не позднее апреля 1836*⟩

* * *

Еще томлюсь тоской желаний,
Еще стремлюсь к тебе душой —
И в сумраке воспоминаний
Еще ловлю я образ твой...
Твой милый образ, незабвенный,
Он предо мной везде, всегда,
Недостижимый, неизменный,
Как ночью на небе звезда...

1848

* * *

О, как убийственно мы любим,
Как в буйной слепоте страстей
Мы то всего вернее губим,
Что сердцу нашему милей!

Давно ль, гордясь своей победой,
Ты говорил: она моя...
Год не прошел — спроси и сведай,
Что уцелело от нея?

Куда ланит девались розы,
Улыбка уст и блеск очей?
Все опалили, выжгли слезы
Горячей влагою своей.

Ты помнишь ли, при вашей встрече,
При первой встрече роковой,
Ее волшебный взор, и речи,
И смех младенчески-живой?

И что ж теперь? И где все это?
И долговечен ли был сон?
Увы, как северное лето,
Был мимолетным гостем он!

Судьбы ужасным приговором
Твоя любовь для ней была,
И незаслуженным позором
На жизнь ее она легла!

Жизнь отреченья, жизнь страданья!
В ее душевной глубине
Ей оставались вспоминанья...
Но изменили и оне.

И на земле ей дико стало,
Очарование ушло...
Толпа, нахлынув, в грязь втоптала
То, что в душе ее цвело.

И что ж от долгого мученья,
Как пепл, сберечь ей удалось?
Боль, злую боль ожесточенья,
Боль без отрады и без слез!

О, как убийственно мы любим!
Как в буйной слепоте страстей
Мы то всего вернее губим,
Что сердцу нашему милей!..

⟨*Первая половина 1851*⟩

ПРЕДОПРЕДЕЛЕНИЕ

Любовь, любовь — гласит преданье —
Союз души с душой родной —
Их съединенье, сочетанье,
И роковое их слиянье,
И... поединок роковой...

И чем одно из них нежнее
В борьбе неравной двух сердец,
Тем неизбежней и вернее,
Любя, страдая, грустно млея,
Оно изноет наконец...

⟨*1851 или начало 1852*⟩

* * *

Не говори: меня он, как и прежде, любит,
Мной, как и прежде, дорожит...
О нет! Он жизнь мою бесчеловечно губит,
Хоть, вижу, нож в руке его дрожит.

То в гневе, то в слезах, тоскуя, негодуя,
Увлечена, в душе уязвлена,
Я стражду, не живу... им, им одним живу я —
Но эта жизнь!... О, как горька она!

Он мерит воздух мне так бережно и скудно...
Не мерят так и лютому врагу...
Ох, я дышу еще болезненно и трудно,
Могу дышать, но жить уж не могу.

⟨*1851 или начало 1852*⟩

* * *

Я очи знал,— о, эти очи!
Как я любил их,— знает бог!
От их волшебной, страстной ночи
Я душу оторвать не мог.

В непостижимом этом взоре,
Жизнь обнажающем до дна,
Такое слышалося горе,
Такая страсти глубина!

Дышал он грустный, углубленный
В тени ресниц ее густой,
Как наслажденье, утомленный
И, как страданье, роковой.

И в эти чудные мгновенья
Ни разу мне не довелось
С ним повстречаться без волненья
И любоваться им без слез.

⟨*Не позднее начала 1852*⟩

ПОСЛЕДНЯЯ ЛЮБОВЬ

О, как на склоне наших лет
Нежней мы любим и суеверней...
Сияй, сияй, прощальный свет
Любви последней, зари вечерней!

Полнеба обхватила тень,
Лишь там, на западе, бродит сиянье,—
Помедли, помедли, вечерний день,
Продлись, продлись, очарованье.

Пускай скудеет в жилах кровь,
Но в сердце не скудеет нежность...
О ты, последняя любовь!
Ты и блаженство, и безнадежность.

⟨*Между 1852 и началом 1854*⟩

* * *

О вещая душа моя!
О сердце, полное тревоги,
О, как ты бьешься на пороге
Как бы двойного бытия!..

Так, ты — жилица двух миров,
Твой день — болезненный и страстный,
Твой сон — пророчески-неясный,
Как откровение духов...

Пускай страдальческую грудь
Волнуют страсти роковые —
Душа готова, как Мария,
К ногам Христа навек прильнуть.

1855

* * *

Она сидела на полу
И груду писем разбирала,
И, как остывшую золу,
Брала их в руки и бросала.

Брала знакомые листы
И чудно так на них глядела,
Как души смотрят с высоты
На ими брошенное тело...

О, сколько жизни было тут,
Невозвратимо пережитой!
О, сколько горестных минут,
Любви и радости убитой!..

Стоял я молча в стороне
И пасть готов был на колени,—
И страшно грустно стало мне,
Как от присущей милой тени.

⟨*Не позднее апреля 1858*⟩

* * *

Весь день она лежала в забытьи,
И всю ее уж тени покрывали.
Лил теплый летний дождь — его струи
      По листьям весело звучали.

И медленно опомнилась она,
И начала прислушиваться к шуму,
И долго слушала — увлечена,
Погружена в сознательную думу...

И вот, как бы беседуя с собой,
Сознательно она проговорила
(Я был при ней, убитый, но живой):
      «О, как всё это я любила!»

. . . .

Любила ты, и так, как ты, любить —
Нет, никому еще не удавалось!
О господи!.. и это *пережить*...
И сердце на клочки не разорвалось...

⟨*Октябрь — декабрь 1864*⟩

* * *

Есть и в моем страдальческом застое
Часы и дни ужаснее других...
Их тяжкий гнет, их бремя роковое
Не выскажет, не выдержит мой стих.

Вдруг все замрет. Слезам и умиленью
Нет доступа, все пусто и темно,
Минувшее не веет легкой тенью,
А под землей, как труп, лежит оно.

Ах, и над ним в действительности ясной,
Но без любви, без солнечных лучей,
Такой же мир бездушный и бесстрастный,
Не знающий, не помнящий о ней.

И я один, с моей тупой тоскою,
Хочу сознать себя и не могу —
Разбитый челн, заброшенный волною,
На безымянном диком берегу.

О господи, даи жгучего страданья
И мертвенность души моей рассей:
Ты взял *ее*, но муку вспоминанья,
Живую муку мне оставь по ней,—

По ней, по ней, свой подвиг совершившей
Весь до конца и отчаянной борьбе,
Так пламенно, так горячо любившей
Наперекор и людям и судьбе,—

По ней, по ней, судьбы не одолевшей,
Но и себя не давшей победить,
По ней, по ней, так до конца умевшей
Страдать, молиться, верить и любить.

⟨*Конец*⟩ *марта 1865*

* * *

Сегодня, друг, пятнадцать лет минуло
С того блаженно-рокового дня,
Как душу всю свою она вдохнула,
Как всю себя перелила в меня.

И вот уж год, без жалоб, без упреку,
Утратив все, приветствую судьбу...
Быть до конца так страшно одиноку,
Как буду одинок в своем гробу.

15 июля 1865

НАКАНУНЕ ГОДОВЩИНЫ 4 АВГУСТА 1864 г.

Вот бреду я вдоль большой дороги
В тихом свете гаснущего дня...
Тяжело мне, замирают ноги...
Друг мой милый, видишь ли меня?

Все темней, темнее над землею —
Улетел последний отблеск дня...
Вот тот мир, где жили мы с тобою,
Ангел мой, ты видишь ли меня?

Завтра день молитвы и печали,
Завтра память рокового дня...
Ангел мой, где б души ни витали,
Ангел мой, ты видишь ли меня?

3 августа 1865

* * *

Нет дня, чтобы душа не ныла,
Не изнывала б о былом,
Искала слов, не находила,
И сохла, сохла с каждым днем, —

Как тот, кто жгучею тоскою
Томился по краю родном
И вдруг узнал бы, что волною
Он схоронен на дне морском.

23 ноября 1865

* * *

Две силы есть — две роковые силы,
Всю жизнь свою у них мы под рукой,
От колыбельных дней и до могилы, —
Одна есть Смерть, другая — Суд людской.

И та и тот равно неотразимы,
И безответственны и тот и та,
Пощады нет, протесты нетерпимы,
Их приговор смыкает всем уста...

Но Смерть честней — чужда лицеприятью,
Не тронута ничем, не смущена,
Смиренную иль ропщущую братью —
Своей косой равняет всех она.

Свет не таков: борьбы, разноголосья —
Ревнивый властелин — не терпит он,
Не косит сплошь, но лучшие колосья
Нередко с корнем вырывает он.

И горе ей — увы, двойное горе,—
Той гордой силе, гордо-молодой,
Вступающей с решимостью во взоре,
С улыбкой на устах — в неравный бой.

Когда она, при роковом сознанье
Всех прав своих, с отвагой красоты,
Бестрепетно, в каком-то обаянье
Идет сама навстречу клеветы,

Личиною чела не прикрывает,
И не дает принизиться челу,
И с кудрей молодых, как пыль, свевает
Угрозы, брань и страстную хулу,—

Да, горе ей — и чем простосердечней,
Тем кажется виновнее она...
Таков уж свет: он там бесчеловечней,
Где человечно-искренней вина.

Март 1869

К. Б.

Я встретил вас — и все былое
В отжившем сердце ожило;
Я вспомнил время золотое —
И сердцу стало так тепло...

Как поздней осени порою
Бывают дни, бывает час,
Когда повеет вдруг весною
И что-то встрепенется в нас,—

Так, весь обвеян дуновеньем
Тех лет душевной полноты,
С давно забытым упоеньем
Смотрю на милые черты...

Как после вековой разлуки,
Гляжу на вас, как бы во сне,—
И вот — слышнее стали звуки,
Не умолкавшие во мне...

Тут не одно воспоминанье,
Тут жизнь заговорила вновь,—
И то же в вас очарованье,
И та ж в душе моей любовь!..

26 июля 1870

НИКОЛАЙ МИХАЙЛОВИЧ ЯЗЫКОВ

1803—1847

К А. Н. ВУЛЬФУ

Скажу ль тебе, кого люблю я,
Куда летят мои мечты,
То занывая, то ликуя
Среди полночной темноты?
Она — души моей царица —
И своенравна и горда;
Но при очах ее денница —
Обыкновенная звезда.
На взоры страстные, на слезы
Она бесчувственно глядит;
Но пламенны младые розы
Ее застенчивых ланит.
Ее жестоко осуждают:
Она проста, она пуста;
Но эти перси и уста,—
Чего ж они не заменяют?

⟨*Начало ноября 1825*⟩

ЭЛЕГИЯ

Меня любовь преобразила:
Я стал задумчив и уныл;
Я ночи бледные светила,
Я сумрак ночи полюбил.
Когда веселая зарница
Горит за дальнею горой,
И пар густеет над водой,
И смолкла вечера певица,
По скату сонных берегов
Брожу, тоскуя и мечтая,
И жду, когда между кустов
Мелькнет условленный покров
Или тропинка потайная
Зашепчет шорохом шагов.
Гори, прелестное светило,
Помедли, мрак, на лоне вод:
Она придет, мой ангел милый,
Любовь моя,— она придет!

⟨*Ноябрь или начало декабря 1825*⟩

ЭЛЕГИЯ

Любовь, любовь! веселым днем
И мне, я помню, ты светила;
Ты мне восторги окрилила,
Ты назвала меня певцом.

Волшебна ты, когда впервые
В груди ликуешь молодой;
Стихи, внушенные тобой,
Звучат и блещут золотые!

Светлее зéркальных зыбей,
Звезды прелестнее рассветной,
Пышнее ленты огнецветной,
Повязки сладостных дождей,

Твои надежды; но умчится
Очаровательный их сон;
Зови его — не внемлет он,
И сердцу снова не приснится.

2 мая 1826

ПЕСНЯ

Разгульна, светла и любовна
Душа веселится моя;
Да здравствует М⟨арья⟩ П⟨етровна⟩,
И ножка, и ручка ея!

Как розы денницы живые,
Как ранние снеги полей —
Ланиты ее молодые
И девственный бархат грудей.

Как звезды задумчивой ночи,
Как вешняя песнь соловья —
Ее восхитительны очи
И сладостен голос ея.

Блажен, кто, роскошно мечтая,
Зовет ее девой своей;
Блаженней избранников рая
Студент, полюбившийся ей!

23 марта 1829

А. И.

Влюблен я, дева-красота!
В твой разговор живой и страстный,
В твой голос ангельски-прекрасный,
В твои румяные уста!

Дай мне тобой налюбоваться,
Твоих наслушаться речей,
Упиться песнию твоей,
Твоим дыханьем надышаться!

1829

ЭЛЕГИЯ

Мне ль позабыть огонь и живость
Твоих лазоревых очей,
Златистый шелк твоих кудрей
И беззаботную игривость
Души лирической твоей?

Всегда красой воспоминаний,
Предметом грусти, сладких снов
И гармонических стихов
Мне будет жар твоих лобзаний
И странный смысл прощальных слов.

Но я поэт — благоговею
Пред этим именем святым,
Пусть буду век тобой любим,
Пусть я зову тебя своею,
Ты назови меня своим!

⟨1830⟩

ПЕРСТЕНЬ

Татьяне Дмитриевне

Да! как святыню берегу я
Сей перстень, данный мне тобой
За жар и силу поцелуя,
Тебя сливавшего со мной;

В тот час (забудь меня камена,
Когда его забуду я!),
Как на твои склонясь колена,
Глава покоилась моя,
Ты улыбалась мне и пела,
Ласкала сладостно меня;
Ты прямо в очи мне глядела
Очами, полными огня;
Но что ж? Так пылко, так глубоко,
Так вдохновенно полюбя
Тебя, мой ангел черноокой,
Одну тебя, одну тебя,—
Один ли я твой взор умильный
К себе привлек? На мне ль одном
Твои объятия так сильно
Живым свиваются кольцом?
Ах, нет! Но свято берегу я
Сей перстень, данный мне тобой,
Воспоминанье поцелуя,
Тебя сливавшего со мной!

26 марта 1831

ДМИТРИЙ ПЕТРОВИЧ ОЗНОБИШИН

1804—1877

МИГ ВОСТОРГА

Когда в пленительном забвеньи,
В час неги пылкой и немой,
В минутном сердце упоеньи
Внезапно взор встречаю твой,
Когда на грудь мою склоняешь
Чело, цветущее красой,
Когда в восторге обнимаешь...
Тогда язык немеет мой.
Без чувств, без силы, без движенья,
В восторге пылком наслажденья,
Я забываю мир земной,
Я нектар пью, срываю розы,
И не страшат меня угрозы
Судьбы и парки роковой.

⟨*1822*⟩

K N.

Страдалец произвольной муки,
Не сводишь ты с нее очей,
Как Тантал, жадно ловишь звуки
Ее младенческих речей.
Но тщетны все твои терзанья:
Язык любви ей незнаком,
Ей не понятны ни страданья,
Ни бледность на лице твоем.
Когда в волненьи страсти буйной
Ты с жаром руку жмешь у ней.
Ее пугает взгляд безумный,
Внезапный блеск твоих очей.
Холодная к твоей печали,
Ее душа тиха, ясна,
Как волн в недвижимом кристалле
С небес глядящая луна.

13 августа 1826
Москва

K N.N.

Зачем на краткое мгновенье
В сей жизни нас судьба свела,
Когда иное назначенье,
Нам розный путь она дала?

Твой робкий взгляд, живые речи —
Все, все я, милый друг, понял.
Я запылал от первой встречи
И тайны сердца разгадал.

В другой стране — вдали я буду,
Меня легко забудешь ты!
Но я — я сохраню повсюду
Твои небесные черты.

Так грубый мрамор сохраняет
Черты волшебного резца,
И вдохновенная сияет
В нем мысль художника-творца.

30 ноября 1827
Москва

ВОСПОМИНАНИЕ

Нева, свод лип, беседка, розы,
Луна, поющий соловей,
Моленья робкие и слезы,
И бледность в памяти моей...

Другие дни, мечты другие!
Но часто думаю о ней,
Про очи темно-голубые,
Как небо северных ночей.

Теперь, быть может, в думе сладкой
Вздыхает милая в тиши,
Быть может, слезы льет украдкой
При светлой памяти души?

Иль слезы время осушило,
Иль клятв минувших след погиб?
И сердце женское забыло
Неву, беседку, своды лип?

1830

ЧУДНАЯ БАНДУРА

Гуляет по Дону казак молодой;
Льет слезы девица над быстрой рекой.

«О чем ты льешь слезы из карих очей?
О добром коне ли, о сбруе ль моей?

О том ли грустишь ты, что, крепко любя,
Я, милая сердцу, просватал тебя?»

«Не жаль мне ни сбруи, не жаль мне коня!
С тобой обручили охотой меня!»

«Родной ли, отца ли, сестер тебе жаль?
Иль милого брата? Пугает ли даль?»

«С отцом и родимой мне век не пробыть;
С тобой и далече мне весело жить!

Грущу я, что скоро мой локон златой
Дон быстрый покроет холодной волной.

Когда я ребенком беспечным была,
Смеясь, мою руку цыганка взяла.

И, пристально глядя, тряся головой,
Сказала: утонешь в день свадебный свой!»

«Не верь ей, друг милый, я выстрою мост,
Чугунный и длинный, хоть в тысячу верст;

Поедешь к венцу ты — я конников дам:
Вперед будет двадцать и сто по бокам».

Вот двинулся поезд. Все конники в ряд.
Чугунные плиты гудят и звенят;

Но конь под невестой, споткнувшись, упал,
И Дон ее принял в клубящийся вал...

«Скорее бандуру звончатую мне!
Размыкаю горе на быстрой волне!»

Лад первый он тихо и робко берет...
Хохочет русалка сквозь пенистых вод.

Но в струны смелее ударил он раз...
Вдруг брызнули слезы русалки из глаз,

И молит: «Златым не касайся струнам,
Невесту младую назад я отдам.

Хотели казачку назвать мы сестрой
За карие очи, за локон златой».

Апрель 1835

АЛЕКСАНДР ИВАНОВИЧ ПОЛЕЖАЕВ

1804—1838

ЦЫГАНКА

Кто идет перед толпою
По широкой площади
С загорелой красотою
На щеках и на груди?
Под разодранным покровом,
Проницательна, черна,
Кто в величии суровом
Эта дивная жена?..
Вьются локоны небрежно
По нагим ее плечам,
Искры наглости мятежно
Разбежались по очам, —
И, страшней ударов сечи,
Как гремучая река,
Льются сладостные речи
У бесстыдной с языка.
Узнаю тебя, вакханка
Незабвенной старины:
Ты коварная цыганка,
Дочь свободы и весны!

Под узлами бедной шали
Ты не скроешь от меня
Ненавистницу печали,
Друга радостного дня!
Ты знакома вдохновенью
Поэтической мечты,
Ты дарила наслажденью
Африканские цветы!
Ах, я помню... Но ужасно
Вспоминать лукавый сон;
Фараонка, не напрасно
Тяготит мне душу он!
Пронеслась с годами сила,
Я увял, — и наяву
Мне рука твоя вручила
Приворотную траву...

⟨*1833*⟩

ПРИЗВАНИЕ

В душе горит огонь любви,
    Я жажду наслажденья, —
О милый мой, лови, лови
    Минуту заблужденья!
Явись ко мне — явись, как дух,
    Нежданный, беспощадный,
Пока томится, ноет дух
    В надежде безотрадной,

Пока играет на челе
    Румянец прихотливый,
И вижу я в туманной мгле
    Звезду любви счастливой!
Я жду тебя — я вся твоя,
    Покрой меня лобзаньем,
И полно жить, — и тихо я
    Сольюсь с твоим дыханьем!
В душе горит огонь любви,
    Я жажду наслажденья, —
О милый мой, лови, лови
    Минуту заблужденья!

⟨1833⟩

ДМИТРИЙ ВЛАДИМИРОВИЧ ВЕНЕВИТИНОВ

1805—1827

К МОЕМУ ПЕРСТНЮ

Ты был отрыт в могиле пыльной,
Любви глашатай вековой,
И снова пыли ты могильной
Завещан будешь, перстень мой.
Но не любовь теперь тобой
Благословила пламень вечной
И над тобой, в тоске сердечной,
Святой обет произнесла;
Нет! дружба в горький час прощанья
Любви рыдающей дала
Тебя залогом состраданья.
О, будь мой верный талисман!
Храни меня от тяжких ран
И света, и толпы ничтожной,
От едкой жажды славы ложной.
От обольстительной мечты
И от душевной пустоты.
В часы холодного сомненья
Надеждой сердце оживи,

И если в скорбях заточенья,
Вдали от ангела любви,
Оно замыслит преступленье, —
Ты дивной силой укроти
Порывы страсти безнадежной
И от груди моей мятежной
Свинец безумства отврати.

Когда же я в час смерти буду
Прощаться с тем, что здесь люблю,
Тебя в прощаньи не забуду:
Тогда я друга умолю,
Чтоб он с моей руки холодной
Тебя, мой перстень, не снимал,
Чтоб нас и гроб не разлучал.

И просьба будет не бесплодна:
Он подтвердит обет мне свой
Словами клятвы роковой.
Века промчатся, и быть можст,
Что кто-нибудь мой прах встревожит
И в нем тебя отроет вновь;
И снова робкая любовь
Тебе прошепчет суеверно
Слова мучительных страстей,
И вновь ты другом будешь ей,
Как был и мне, мой перстень верный.

⟨*1826 или 1827*⟩

ЭЛЕГИЯ

Волшебница! Как сладко пела ты
Про дивную страну очарованья,
Про жаркую отчизну красоты!
Как я любил твои воспоминанья,
Как жадно я внимал словам твоим
И как мечтал о крае неизвестном!
Ты упилась сим воздухом чудесным,
И речь твоя так страстно дышит им!
На цвет небес ты долго нагляделась,
И цвет небес в очах нам принесла.
Душа твоя так ясно разгорелась.
И новый огнь в душе моей зажгла.
Но этот огнь томительный, мятежной,
Он не горит любовью тихой, нежной, —
Нет! он и жжет, и мучит, и мертвит,
Волнуется изменчивым желаньем,
То стихнет вдруг, то бурно закипит,
И сердце вновь пробудится страданьем.
Зачем, зачем так сладко пела ты?
Зачем и я внимал тебе так жадно
И с уст твоих, певица красоты,
Пил яд мечты и страсти безотрадной?

⟨ *1826 или 1827* ⟩

АНДРЕЙ ИВАНОВИЧ ПОДОЛИНСКИЙ

1806—1886

ПОРТРЕТ

Когда стройна и светлоока
Передо мной стоит она,
Я мыслю: гурия пророка
С небес на землю сведена!
Коса и кудри темно-русы,
Наряд небрежный и простой,
И на груди роскошной бусы
Роскошно зыблются порой.
Весны и лета сочетанье
В живом огне ее очей,
И тихий звук ее речей
Рождает негу и желанья
В груди тоскующей моей.

1828

СОНЕТ

Не потому томительным виденьем
Во снах твоих блуждает образ мой,
Что, может быть, с тоскою и волненьем
Ты обо мне подумаешь порой,

Но оттого, что часто с напряженьем,
В ночи без сна, к тебе стремлюсь мечтой,
И увлечен я весь воображеньем,
И с сном твоим сливаюся душой.

Прости меня! Невольной, неизбежной.
Я предаюсь мечте моей вполне,
Я бы хотел, чтоб призрак мой мятежный

Не говорил о милой старине, —
Но ты простишь: не ты ль сама так нежно
Об этих снах рассказывала мне!..

⟨1831⟩

ВЛАДИМИР ГРИГОРЬЕВИЧ БЕНЕДИКТОВ

1807—1873

ЛЮБЛЮ ТЕБЯ

«Люблю тебя» произнести не смея,
«Люблю тебя!» — я взорами сказал;
Но страстный взор вдруг опустился, млея,
Когда твой взор суровый повстречал.
«Люблю тебя!» — я вымолвил, робея,
Но твой ответ язык мой оковал;
Язык мой смолк, и взор огня не мечет,
А сердце всё «люблю тебя» лепечет.

И звонкое сердечное биенье
Ты слышишь — так, оно к тебе дошло;
Но уж твое сердитое веленье
Остановить его не возмогло...
Люблю тебя! И в месть за отверженье,
Когда-нибудь, безжалостной назло,
Когда и грудь любовию отдышит,
Мое перо «люблю тебя!» напишет.

⟨1835⟩

КУДРИ

Кудри девы-чародейки,
Кудри — блеск и аромат,
Кудри — кольца, струйки, змейки,
Кудри — шелковый каскад!
Вейтесь, лейтесь, сыпьтесь дружно,
Пышно, искристо, жемчужно!
Вам не надобен алмаз:
Ваш извив неуловимый
Блещет краше без прикрас,
Без перловой диадимы;
Только роза — цвет любви,
Роза — нежности эмблема —
Красит роскошью эдема
Ваши мягкие струи.
Помню прелесть пирной ночи, —
Живо помню я, как вы,
Задремав, чрез ясны очи
Ниспадали с головы;
В ароматной сфере бала,
При пылающих свечах,
Пышно тень от вас дрожала
На груди и на плечах;
Ручка нежная бросала
Вас небрежно за ушко,
Грудь у юношей пылала
И металась высоко.
Мы, смущенные, смотрели, —
Сердце взорами неслось,
Ум тускнел, уста немели,
А в очах сверкал вопрос:
«Кто ж владелец будет полный
Этой россыпи златой?

Кто-то будет эти волны
Черпать жадною рукой?
Кто из нас, друзья-страдальцы,
Будет амвру их впивать,
Навивать их шелк на пальцы,
Поцелуем припекать,
Мять и спутывать любовью
И во тьме по изголовью
Беззаветно рассыпать?»

Кудри, кудри золотые,
Кудри пышные, густые —
Юной прелести венец!
Вами юноши пленялись,
И мольбы их выражались
Стуком пламенных сердец;
Но, снедаемые взглядом
И доступны лишь ему,
Вы ручным бесценным кладом
Не далися никому:
Появились, порезвились —
И, как в море вод хрусталь,
Ваши волны укатились
В неизведанную даль!

Конец 1835

Я ЗНАЮ

Я знаю, — томлюсь я напрасно,
Я знаю, — люблю я бесплодно,
Ее равнодушье мне ясно,
Ей сердце мое — неугодно.

Я нежные песни слагаю,
А ей и внимать недосужно,
Ей, всеми любимой, я знаю,
Мое поклоненье не нужно.

Решенье судьбы неизменно.
Не так же ль средь жизненной битвы
Мы молимся небу смиренно, —
А нужны ли небу молитвы?

Над нашею бренностью гибкой,
Клонящейся долу послушно,
Стоит оно с вечной улыбкой
И смотрит на нас равнодушно, —

И, видя, как смертный склоняет
Главу свою, трепетный, бледный,
Оно неподвижно сияет,
И смотрит, и думает: «Бедный!»

И мыслю я, пронят глубоко
Сознаньем, что небо бесстрастно:
Не тем ли оно и высоко?
Не тем ли оно и прекрасно?

⟨*Между 1850 и 1856*⟩

КАРОЛИНА КАРЛОВНА ПАВЛОВА

1807—1893

10-го НОЯБРЯ 1840

Среди забот и в людной той пустыне,
Свои мечты покинув и меня,
Успел ли ты былое вспомнить ныне?
Заветного ты не забыл ли дня?
Подумал ли, скажи, ты ныне снова,
Что с верою я детской, в оный час,
Из рук твоих свой жребий взять готова,
Тебе навек без страха обреклась?
Что свят тот миг пред божьим провиденьем,
Когда душа, глубоко полюбя,
С невольным скажет убежденьем
Душе чужой: я верую в тебя!
Что этот луч, ниспосланный из рая, —
Какой судьба дорогой ни веди, —
Как в камне искра спит живая,
В остылой будет спать груди;
Что не погубит горя бремя
В ней этой тайны неземной;
Что не истлеет это семя
И расцветет в стране другой.

Ты вспомнил ли, как я, при шуме бала,
Безмолвно назвалась твоей?
Как больно сердце задрожало,
Как гордо вспыхнул огнь очей?
Взносясь над всей тревогой света,
В тебе хоть жизнь свое взяла,
Осталась ли минута эта
Средь измененного цела?

1840

ДВЕ КОМЕТЫ

Текут в согласии и мире,
Сияя радостным лучом,
Семейства звездные в эфире
Своим указанным путем.

Но две проносятся кометы
Тем стройным хорам не в пример;
Они их солнцем не согреты, —
Не сестры безмятежных сфер.

И в небе встретились уныло,
Среди скитанья своего,
Два безотрадные светила
И поняли свое родство.

И, может, с севера и с юга
Ведет их тайная любовь
В пространстве вновь искать друг друга,
Приветствовать друг друга вновь.

И, в розное они теченье
Опять влекомые судьбой,
Сойдутся ближе на мгновенье,
Чем все миры между собой.

Апрель 1855

* * *

За тяжкий час, когда я дорогою
   Плачусь ценой,
И, пользуясь минутною виною,
Когда стоишь холодным судиею
   Ты предо мной, —

Нельзя забыть, как много в нас родного
   Сошлось сперва;
Радушного нельзя не помнить слова
Мне твоего, когда звучат сурово
   Твои слова.

Пускай ты прав, пускай я виновата,
   Но ты поймешь,
Что в нас все то, что истинно и свято,
Не может вдруг исчезнуть без возврата,
   Как бред и ложь.

Я в силах ждать, хотя бы дней и много
Мне ждать пришлось,
Хотя б была наказана и строго
Невольная, безумная тревога
Сердечных гроз.

Я в силах ждать, хоть грудь полна недуга
И злой мечты;
В душе моей есть боль, но нет испуга:
Когда-нибудь мне снова руку друга
Протянешь ты!

⟨1855 или 1856⟩

АЛЕКСЕЙ ВАСИЛЬЕВИЧ КОЛЬЦОВ

1809—1842

ПЕСНЯ

Если встречусь с тобой
Иль увижу тебя, —
Что за трепет, за огнь
Разольется в груди.

Если взглянешь, душа,
Я горю и дрожу,
И бесчувствен и нем
Пред тобою стою!

Если молвишь мне что,
Я на речи твои,
На приветы твои
Что сказать — не сыщу.

А лобзаньям твоим,
А восторгам живым
На земле, у людей
Выражения нет!

Дева-радость души,
Это жизнь — мы живем!
Не хочу я другой
Жизни в жизни моей!

⟨1827⟩

КОЛЬЦО

Песня

Я затеплю свечу
Воску ярова,
Распаяю кольцо
Друга милова.

Загорись, разгорись,
Роковой огонь,
Распаяй, растопи
Чисто золото.

Без него — для меня
Ты ненадобно;
Без него на руке —
Камень на сердце.

Что взгляну — то вздохну,
Затоскуюся,
И зальются глаза
Горьким горем слез.

Возвратится ли он?
Или весточкой
Оживит ли меня,
Безутешную?

Нет надежды в душе...
Ты рассыпься же
Золотой слезой,
Память милова!

Невредимо, черно
На огне кольцо,
И звенит по столу
Память вечную.

20 сентября 1830

НЕ ШУМИ ТЫ, РОЖЬ

Не шуми ты, рожь,
Спелым колосом!
Ты не пой, косарь,
Про широку степь!

Мне не для чего
Собирать добро,
Мне не для чего
Богатеть теперь!

Прочил молодец,
Прочил доброе,
Не своей душе —
Душе-девице.

Сладко было мне
Глядеть в очи ей,
В очи, полные
Полюбовных дум!

И те ясные
Очи стухнули,
Спит могильным сном
Красна девица!

Тяжелей горы,
Темней полночи
Легла на сердце
Дума черная!

⟨1834⟩

РУССКАЯ ПЕСНЯ

Так и рвется душа
Из груди молодой!
Хочет воли она,
Просит жизни другой!

То ли дело — вдвоем
Над рекою сидеть,
На зеленую степь,
На цветочки глядеть!

То ли дело — вдвоем
Зимню ночь коротать,
Друга жаркой рукой
Ко груди прижимать;

Поутру, на заре,
Обнимать-провожать,
Вечерком у ворот
Его вновь поджидать!

1 апреля 1840

РАЗЛУКА

На заре туманной юности
Всей душой любил я милую:
Был у ней в глазах небесный свет,
На лице горел любви огонь.

Что пред ней ты, утро майское,
Ты, дуброва-мать зеленая,
Степь-трава — парча шелковая,
Заря-вечер, ночь-волшебница!

Хороши вы — когда нет ее,
Когда с вами делишь грусть свою,
А при ней вас — хоть бы не было;
С ней зима — весна, ночь — ясный день!

Не забыть мне, как в последний раз
Я сказал ей: «Прости, милая!
Так, знать, бог велел — расстанемся,
Но когда-нибудь увидимся...»

Вмиг огнем лицо все вспыхнуло,
Белым снегом перекрылося, —
И, рыдая, как безумная,
На груди моей повиснула.

«Не ходи, постой! дай время мне
Задушить грусть, печаль выплакать,
На тебя, на ясна сокола...»
Занялся дух — слово замерло...

21 мая 1840

НОЧЬ

*Посвящена князю
Владимиру Федоровичу Одоевскому*

Не смотря в лицо,
Она пела мне,
Как ревнивый муж
Бил жену свою.

А в окно луна
Тихо свет лила,
Сладострастных снов
Была ночь полна!

Лишь зеленый сад
Под горой чернел;
Мрачный образ к нам
Из него глядел.

Улыбаясь, он
Зуб о зуб стучал;
Жгучей искрою
Его глаз сверкал.

Вот он к нам идет,
Словно дуб большой...
И тот призрак был —
Ее муж лихой...

По костям моим
Пробежал мороз;
Сам не знаю как,
К полу я прирос.

Но лишь только он
Рукой за дверь взял,
Я схватился с ним —
И он мертвый пал.

«Что ж ты, милая,
Вся, как лист, дрожишь?
С детским ужасом
На него глядишь?

Уж не будет он
Караулить нас;
Не придет теперь
В полуночный час!..»

«Ах, не то, чтоб я...
Ум мешается...
Все два мужа мне
Представляются:

На полу один
Весь в крови лежит,
А другой — смотри —
Вон в саду стоит!...»

Москва
11 декабря 1840

РУССКАЯ ПЕСНЯ

Я любила его
Жарче дня и огня,
Как другие любить
Не смогут никогда!

Только с ним лишь одним
Я на свете жила;
Ему душу мою,
Ему жизнь отдала!

Что за ночь, за луна,
Когда друга я жду!
И бледна, холодна,
Замираю, дрожу!

Вот он идет, поет:
«Где ты, зорька моя?»
Вот он руку берет,
Вот целует меня!

«Милый друг, погаси
Поцелуи твои!
И без них при тебе
Огнь пылает в крови,

И без них при тебе
Жжет румянец лицо,
И волнуется грудь,
И кипит горячо!

И блистают глаза
Лучезарной звездой!»
Я жила для него
Я любила душой!

20 декабря 1841

НЕСТОР ВАСИЛЬЕВИЧ КУКОЛЬНИК

1809—1868

* * *

О боже мой, как я ее люблю!..

Ни крик врагов, ни шум разгульный пира
Не отвлекут от моего кумира
Крылатых дум! Я все *ее* пою!

Но стих моих страданий глух, невнятен,
Он к темноте загадочной привык;
Но вече чувств — особенный язык,
И редкому он может быть понятен.

В моей любви нет людям откровенья!
Пусть я паду под тайною моей,
Пусть в жизни не увижу вдохновенья,
Но не отдам *любви* на суд людей!
Я не скажу печального признанья
Ни ей, ни вам, враги страстей святых!

От вашего до моего страданья
Нет переходов, ступеней земных.
Прочь, искренность! Скорее — легкой птице, —
Когда уж должно откровенным быть!
Еще скорей — разрушенной гробнице
Решусь любовь несчастную открыть;
Но никогда Элеоноре милой
Ни страстных слов, ни взоров не пошлю,
А прошепчу сам про себя уныло:
«О боже мой, как я ее люблю!..»

⟨1837⟩

АНГЛИЙСКИЙ РОМАНС

Уймитесь, волнения страсти!
Засни, безнадежное сердце!
    Я плачу, я стражду, —
Душа истомилась в разлуке.
    Я плачу, я стражду!
Не выплакать горя в слезах...

    Напрасно надежда
    Мне счастье гадает, —
    Не верю, не верю
    Обетам коварным:
Разлука уносит любовь...

Как сон, неотступный и грозный,
Соперник мне снится счастливый,
     И тайно и злобно
Кипящая ревность пылает...
     И тайно и злобно
Оружия ищет рука...

Минует печальное время,
Мы снова обнимем друг друга.
     И страстно и жарко
Забьется воскресшее сердце,
     И страстно и жарко
С устами сольются уста.

     Напрасно измену
     Мне ревность гадает, —
     Не верю, не верю
     Коварным наветам!
Я счастлив! Ты снова моя!

И все улыбнулось в природе;
Как солнце, душа просияла;
     Блаженство, восторги
Воскресли в измученном сердце!
Я счастлив: ты снова моя.

Август 1838

ЖАВОРОНОК

Между небом и землей
   Песня раздается,
Неисходною струей
   Громче, громче льется.

Не видать певца полей,
   Где поет так громко
Над подружкою своей
   Жаворонок звонкой.

Ветер песенку несет,
   А кому — не знает.
Та, к кому она, поймет,
   От кого — узнает.

Лейся ж, песенка моя,
   Песнь надежды сладкой...
Кто-то вспомнит про меня
   И вздохнет украдкой.

11 июля 1840

ВАСИЛИЙ ИВАНОВИЧ КРАСОВ

1810—1854

ЭЛЕГИЯ

Не говорите ей: ты любишь безрассудно,
        Твоя печаль — безумная печаль!
Не говорите так! — разуверяться трудно,
        И вы ее уверите едва ль.

Нет! вы не видели немых ее страданий,
        Ночей без сна, рыданий в тьме ночной,
Не испытали вы любви без упований,
        Не знаете вы страсти роковой!
        О, как она любила и страдала!
                Какое сердце в дар несла!

Какая юношу награда ожидала!
Увы! его душа ее не поняла.
Я видел: бедная, бледна и молчалива,
Она приход любимца стерегла;
        Вот вспыхнула, подходит боязливо —
        И тайна снова в сердце умерла!

Не говорите ж ей: ты любишь безрассудно,
    Твоя печаль — безумная печаль!
Не говорите так! — разуверяться трудно,
    И вы ее уверите едва ль!

1834

РАЗЛУКА

Пронесется ли буря мятежная
И пустынную розу сорвет,
Затоскуется ль горлица нежная,
Как птенцов ее коршун убьет.
Гибнет роза в степи одинокая,
Не воскреснет поблекший цветок,
Твои очи, подруга далекая,
Не утешит венчальный венок.
Рано высохла грудь твоя страстная,
Рано взор твой веселый потух.
Не на счастье любила, прекрасная,
Не на радость узнал тебя друг!
О, как рано с блаженством простилася —
И уж столько бессонных ночей,
Столько стонов во тьме утаилося,
Столько пролито слез из очей!..
Его нет — не придет на свидание:
Он в туманную даль полетел;
Не сбылися, как сон, упования,
Неизбежен несчастной удел.

При прощаньи, как тень над могилою,
Ты стояла с поблекшим челом,
Ты упала на грудь тебе милую,
Ты рыдала на сердце младом.
Было тяжко для друга прощание,
Но по-прежнему милый ласкал,
Его стоны, глухие рыдания
Только ветер в степи услыхал...
Отуманен тоскою глубокою,
Охладел он для жизни душой,
Только помнит тебя, одинокую,
И что счастье погибло с тобой...
Допою ли я песню печальную?
Если сорван надежды цветок —
Вы не куйте кольца обручального,
А готовьте могильный венок.

⟨1839⟩

МЕТЕЛЬ

Поздно. Стужа. Кони мчатся
Вьюги бешеной быстрей.
Ах! когда бы нам добраться
До ночлега поскорей!
У! как в поле темно, бледно.
Что за страшная метель!
И далек ночлег мой бедный,
Одинокая постель.

Мчуся. Грустно. Злится вьюга
По белеющим полям;
И сердечного недуга
Я постичь не в силах сам.
То — прошедшее ль с тоскою
Смутным чувством говорит?
Иль грядущее бедою
Мне нежданною грозит?..

Пусть все сгибло в раннем цвете,
Рок мой мрачен и жесток;
Сладко думать мне: на свете
Есть блаженный уголок...
И в полуночи глубокой,
Как спешу к ночлегу я,
Может — ангел одинокой
Молит небо за меня...

⟨1840⟩

ВОСПОМИНАНИЕ

Не спрашивай, чего мне стало жаль,
Что грустию мне память омрачило:
Мой друг, тоска пройдет, как прежде проходила, —
Я вспомнил детских лет волнующую даль,
Несвязную, но сладостную повесть
Весенних дней моих, волшебный, светлый сон.
Мне стало жаль его! Давно исчез уж он...

Укором восстает тоскующая совесть...
    Наш старый дом, наш бедный городок,
И темные леса, и бурный мой поток,
И игры шумные, и первое волненье —
    Все живо вновь в моем воображенье...
    Вон дом большой чернеет над горой,
Заря вечерняя за лесом потухает,
    Кругом все спит, — лишь робкою рукой
Она окно свое для друга открывает...
    Луна взошла, зари уж нет давно,
    А я смотрю, влюбленный, на окно!..

⟨*1840*⟩

СТАНСЫ

К***

Ты помнишь ли последнее свиданье?
В аллею лип велела ты прийти...
Дала одно безмолвное лобзанье
    И безотрадное «прости».

Твой смутный взор, поблекшие ланиты,
Твой слабый стон мне душу растерзал,
Как я, двойным отчаяньем убитый,
    В последний раз тебя лобзал.

Несчастный друг, увы! во мраке ночи
Я и теперь с слезами помню вновь
Твой дальний край, потупленные очи,
    Твою безмолвную любовь.

Аллею лип с шумящими ветвями,
Где мы навек расстался с тобой,
И твой вуаль над черными кудрями,
И как вдали махнула мне рукой...

1840

ОБЫКНОВЕННАЯ ИСТОРИЯ

Увы! Столько лет пролетело!
Пора перестать нам грустить;
В нас сердце давно охладело,
Давно перестало любить.

Иная чреда ожидала.
Молили и мать и отец;
Ты долго им, знаю, внимала —
И тихо пошла под венец.

Любви не дала ты с рукою;
Все было равно для тебя...
Что ж? Может, обычной чредою,
Я буду женат, не любя.

Сойдемся ль чрез долгие лета,
В помине не будет любовь —
В пустыне ли, в вихре ли света
С тобою мы встретимся вновь...

⟨*1842*⟩

ИВАН ПЕТРОВИЧ КЛЮШНИКОВ

1811—1895

* * *

Я не люблю тебя: мне суждено судьбою,
    Не полюбивши, разлюбить.
Я не люблю тебя; больной моей душою
    Я никого не буду здесь любить.

О, не кляни меня! Я обманул природу,
    Тебя, себя, когда в волшебный миг
Я сердце праздное и бедную свободу
    Поверг в слезах у милых ног твоих.

Я не люблю тебя, но, полюбя другую,
    Я презирал бы горько сам себя,
И, как безумный, я и плачу и тоскую,
    И все о том, что не люблю тебя!..

⟨1838⟩

НА СМЕРТЬ ДЕВУШКИ

Закрылись прекрасные очи,
Поблекли ланиты ее,
И сумраком вечныя ночи
Покрылось младое чело.

Ты счастья земного не знала,
Одним ожиданьем жила,
Любила — любя, ты страдала,
Страдая — в могилу сошла.

Зачем же, краса молодая,
Так краток печальный твой путь?
Зачем? — И тоска неземная
Невольно теснится мне в грудь.

Лобзаю холодные руки
И плачу, над гробом склонясь...
И песни, сливаясь с торжественным звоном,
Звучат упованьем святым.

И я примиряюсь с предвечным законом
И тихо молюся над прахом твоим.
Не все здесь кончается в жизни —
Могила лишь землю берет.

Не всё — там, в небесной отчизне,
И жизнь и блаженство нас ждет.
Я в вечности встречусь с тобою —
Здесь жизнь и страданье на час...

⟨1838⟩

ЕЙ

Я понимаю взор твой страстный,
Я знаю смысл твоих речей:
Я вижу всё... Но, друг прекрасный,
Я не прошу любви твоей!

Тоску души моей холодной
Она не в силах исцелить:
Я не могу любить свободно,
Я не могу, как ты, любить.

В сияньи дня, во мраке ночи
Я вижу бледные уста,
И смотрят плачущие очи
С святой любовью на меня...

Непостижимой, тайной силой
Она везде, всегда со мной —
И на груди твоей, друг милый,
Я стал бы думать о другой!

⟨1840⟩

* * *

Когда, горя преступным жаром,
Ты о любви мне говоришь,
Восторг твой кажется угаром, —
Меня ты мучишь и смешишь.

Нет! ты не любишь, ты не знаешь
Великой тайны — ты профан!
Ты о любви в грехе мечтаешь,
Ты от хмельных желаний пьян.

Не любишь ты! Когда бы ясно
Сознал ты в сердце благодать,
Не стал бы ты про гнев прекрасной
И про надежды лепетать.

В любви нет страха, нет надежды:
Она дитя, она слепа.
Над ней ругаются невежды,
Ее не ведает толпа.

Блажен, кто наяву увидит
Заветный идеал мечты!
Он сам ссбя вознснавидит
Перед святыней красоты.

В немой тоске потупит очи,
Стыдясь на божество взглянуть!
И как звезда на лоно ночи,
Она падет к нему на грудь.

⟨1840⟩

ЕВГЕНИЙ ПАВЛОВИЧ ГРЕБЕНКА

1812—1848

ПЕСНЯ

Молода еще девица я была,
Наша армия в поход куда-то шла.
Вечерело. Я стояла у ворот —
А по улице все конница идет.
К воротáм подъехал барин молодой,
Мне сказал: «Напой, красавица, водой!»
Он напился, крепко руку мне пожал,
Наклонился и меня поцеловал...
Он уехал... долго я смотрела вслед, —
Жарко стало мне, в очах мутился свет,
Целу ноченьку мне спать было невмочь:
Раскрасавец барин снился мне всю ночь.

Вот недавно — я вдовой уже была,
Четырех уж дочек замуж отдала —
К нам заехал на квартиру генерал,
Весь простреленный, так жалобно стонал...
Я взглянула — встрепенулася душой:

Это он, красавец барин молодой;
Тот же голос, тот огонь в его глазах,
Только много седины в его кудрях.
И опять я целу ночку не спала,
Целу ночку молодой опять была.

⟨1841⟩

ЧЕРНЫЕ ОЧИ

Очи черные, очи страстные,
Очи жгучие и прекрасные!
Как люблю я вас! Как боюсь я вас!
Знать, увидел вас я в недобрый час.

Ох, недаром вы глубины темней!
Вижу траур в вас по душе моей,
Вижу пламя в вас я победное:
Сожжено на нем сердце бедное.

Но не грустен я, не печален я,
Утешительна мне судьба моя:
Все, что лучшего в жизни бог дал нам,
В жертву отдал я огневым глазам.

⟨1843⟩

ЕВДОКИЯ ПЕТРОВНА РОСТОПЧИНА

1812—1858

⟨*Из «Неизвестного романа»*⟩

ТЕБЕ ОДНОМУ

Нет, не тогда бываю я счастлива,
Когда наряд, и ленты, и цветы
Блестят на мне, и свежестью красивой
Зажгут в тебе влюбленные мечты.

И не тогда, как об руку с тобою,
Увлечена разгулом молодым,
Припав к тебе вскруженной головою, —
Мы проскользнуть сквозь вальса вихрь спешим.

И не тогда, как оба мы беспечны,
Когда наш смех, наш длинный разговор
Оживлены веселостью сердечной,
И радостно горит наш светлый взор.

Счастлива я, когда рукою нежной
Я обовьюсь вкруг головы твоей,
И ты ко мне прислонишься небрежно,
И мы молчим, не разводя очей...

Счастлива я, когда любви высокой
Святую скорбь вдвоем почуем мы,
И думаем о вечности далекой,
И ждем ее, взамен житейской тьмы!..

Счастлива я наедине с тобою,
Когда забудем мы весь мир земной, —
Хранимые свободной тишиною
И заняты, ты мной, а я тобой!..

Счастлива я в часы благоговенья,
Когда, полна блаженства моего,
Я *о тебе* молюся провиденью
И *за тебя* благодарю его!

ВМЕСТО УПРЕКА

Когда недавней старины
Мы переписку разбираем,
И удивления полны —
Так много страсти в ней читаем,
Так много чувства и тоски
В разлуке, столько слез страданья,
Молитв и просьб о дне свиданья, —

Мы в изумленьи: далеки
Те дни, те чувства!.. Холод света
Отравою дохнул на них!..
Его насмешек и навета,
Речей завистливых и злых
Рассудок подкрепил влиянье;
Разочаровано одно
Из двух сердец... Ему смешно
Любви недавней излиянье!..
Не узнает теперь оно
Ни слов своих, ни упований,
И утомленное борьбой,
Лишь ловит с жалостью немой
Забытый след воспоминаний...
Прочь, письма, прочь! Прошла она.
Пора восторга молодого.
Меж нас расчета рокового
Наука грозная слышна...
Прочь, память прежнего!.. Бессильна,
Докучна ты, как плач могильный
Вблизи пиров ушам гостей!..
Блаженства нежного скрижали,
Глашатаи минувших дней,
Простите!.. Вы нам чужды стали!..
Нам грех вас холодно читать,
Мы вас не можем понимать:
Иль вы, иль мы, — то богу знать —
Вдруг устарели и отстали...

1848

⟨*Из романа в стихах «Дневник девушки»*⟩

* * *

Любя *его*, принадлежать другому!..
И мне в удел сей тяжкий долг избрать?
Мне, изменя обету дорогому,
Иной обет пред алтарями дать?..
Жестокие!.. Они не понимают,
Что́ буду я, их воле покорясь;
Судьбой моей они располагают,
Ни чувств моих, ни сердца не спросясь!
Могу ли я забыть любовь былую...
Заменит ли одна рука моя
Привязанность и преданность прямую?..
Позволено ль коварством подкупным
Обманывать искателя младого
И заплатить за жар огня святого
Кокетством лишь расчетливым одним!..
Когда во мне, любовью ослепленный,
Он думает сочувствие сыскать,
Должна ли я, играя им надменно,
Безумные мечты его питать?..
Должна ли я надеждою напрасной
Его привлечь, в нем сердце упоить,
Его на миг блаженством озарить,
Чтоб, ложь презрев, он вправе был несчастный,
Проклятием меня обременить?..

Ах, нет! Грешно и низко бы то было!..
Доверие — святыня!.. Горе той,
Кто, не поняв измены первой силу,
Сомнениям предаст весь век чужой!

Но я, любви я слишком цену знаю,
Чтоб ею мне бессмысленно шутить!

Я не могу другого полюбить,
Но искренно в нем чувство уважаю!

Победу я заметила свою
Без радости, без гордости сердечной...
И клятву я самой себе даю.
Люблю к *тому* остаться верной вечно!

⟨*1842—1850*⟩

НИКОЛАЙ ПЛАТОНОВИЧ ОГАРЕВ

1813—1877

* * *

О, возвратись, любви прекрасное мгновенье,
О, исцели тоскующую грудь,
Дай тихо, свято, радостно дохнуть
Восторгом чистым неземного упоенья.

Минуты чудные живого наслажденья:
Влюбленных душ безмолвный разговор,
И поцелуй, и неги полный взор,
И мира дольнего прекрасное забвенье.

Я отвыкал от вас — и тьма на ум ложилась,
И сердце сохло в душной пустоте,
И замирала жизнь в бесцельной суете,
И скука надо мной тяжелая носилась.

Теперь опять ко мне, сдружись с моей душою,
Знакомый рай святой любви моей,
Я выплакал тебя бесцветных дней
Несносной, длинною и скучной чередою.

1839, январь

* * *

Тебе я счастья не давал довольно,
Во многом я тебя не понимал,
И мучил я тебя и сам страдал...
Теперь я еду, друг мой! сердцу больно:
И я с слезой скажу тебе — прощай!
Никто тебя так не любил глубоко...
И я молю тебя: ты вспоминай
Меня, мой друг, без желчи, без упрека,
Минутам скорбным ты забвенье дай,
И помни лишь, что я любил глубоко,
И с грустию сказал тебе — прощай!
Теперь блуждать в стране я стану дальной...
Мне тяжело. Еще лета мои
Так молоды; но в жизни я печальной
Растратил много веры и любви.
Живу я большей частью одиноко,
Все сам в себе. Но ты не забывай,
Что я, мой друг, тебя любил глубоко,
И с грустию сказал тебе — прощай!..

1841, 5 декабря

* * *

Она никогда его не любила
А он ее втайне любил;
Но он о любви не выронил слова:
В себе ее свято хранил.

И в церкви с другим она обвенчалась;
По-прежнему вхож он был в дом,
И молча в лицо глядел ей украдкой,
И долго томился потом.

Она умерла. И днем он и ночью
Все к ней на могилу ходил;
Она никогда его не любила,
А он о ней память любил.

⟨1842⟩

* * *

Я помню робкое желанье,
Тоску, сжигающую кровь,
Я помню ласки и признанье,
Я помню слезы и любовь.

Шло время — ласки были реже,
И высох слез поток живой,
И только оставались те же
Желанья с прежнею тоской.

Просило сердце впечатлений,
И теплых слез просило вновь,
И новых ласк, и вдохновений,
Просило новую любовь.

Пришла пора — прошло желанье,
И в сердце стало холодно,
И на одно воспоминанье
Трепещет горестно оно.

1842, 24 февраля

К ⟨М. Л. ОГАРЕВОЙ⟩

Расстались мы — то, может, нужно,
То, может, должно было нам, —
Уж мы давно не делим дружно
Единой жизни пополам.

И, может, врознь нам будет можно
Еще с годами как-нибудь
Устроиться не так тревожно
И даже сердцем отдохнуть.

Я несть готов твои упреки,
Хотя и жгут они, как яд,
Конечно, я имел пороки,
Конечно, в многом виноват;

Но было время — ведь я верил,
Ведь я любил, быть счастлив мог,
Я будущность широко мерил,
Мой мир был полон и глубок!

Но замер он среди печали;
И кто из нас виновен в том,
Какое дело — ты ли, я ли, —
Его назад мы не вернем.

Еще слезу зовет с ресницы,
И холодом сжимает грудь
О прошлом мысль, как у гробницы,
Где в муках детский век потух.

Закрыта книга — наша повесть
Прочлась до крайнего листа;
Но не смутят укором совесть
Тебе отнюдь мои уста.

Благодарю за те мгновенья,
Когда я верил и любил;
Я не дал только б им забвенья,
А горечь радостно б забыл.

О, я не враг тебе... Дай руку!
Прощай! Не дай тебе знать бог
Ни пустоты душевной муку,
Ни заблуждения тревог...

Прощай! на жизнь, быть может, взглянем
Еще с улыбкой мы не раз,
И с миром оба да помянем
Друг друга мы в последний час.

Конец 1844

К Н. ⟨А. ТУЧКОВОЙ⟩

На наш союз святой и вольный —
Я знаю — с злобою тупой
Взирает свет самодовольный,
Бродя обычной колеей.

Грозой нам веет с небосклона!
Уже не раз терпела ты
И кару дряхлого закона
И кару пошлой клеветы.

С улыбкой грустного презренья
Мы вступим в долгую борьбу,
И твердо вытерпим гоненья,
И отстоим свою судьбу.

Еще не раз весну мы встретим
Под говор дружных нам лесов
И жадно в жизни вновь отметим
Счастливых несколько часов.

И день придет: морские волны
Опять привет заплещут нам,
И мы умчимся, волей полны,
Туда — к свободным берегам.

1850—1852

ПЕРВАЯ ЛЮБОВЬ

В вечернем сумраке долина
Синела тихо за ручьем,
И запах розы и ясмина
Благоухал в саду твоем;
В кустах прибережных влюбленно
Перекликались соловьи.
Я близ тебя стоял смущенный,
Томимый трепетом любви.
Уста от полноты дыханья
Остались немы и робки,
А сердце жаждало признанья,
Рука — пожатия руки.

Пусть этот сон мне жизнь сменила
Тревогой шумной пестроты;
Но память верно сохранила
И образ тихой красоты,
И сад, и вечер, и свиданье,
И негу смутную в крови,
И сердца жар и замиранье —
Всю эту музыку любви.

До 1855, 3 июня

НИКОЛАЙ ВЛАДИМИРОВИЧ СТАНКЕВИЧ

1813—1840

ПРОСТИ!

Прости! Тебе моей не быть!
С твоей холодной красотою,
С твоей бесчувственной душою
Ты не назначена любить.
Тебе безвестен нежный пламень;
Один обман — твой страстный взгляд,
Улыбка — нéктар, сердце — камень,
А поцелуи — сладкий яд!
Прошла пора очарованья,
Прошли в груди моей терзанья!..

Знавал я радость и любовь,
Живилось сердце упованьем,
Огнем любви пылала кровь,
Когда с несбыточным желаньем
Тебе навек отдался я
И, полный страстным упоеньем
С самолюбивым увереньем
Твердил в душе: она моя!

Я долго сею жил мечтою,
Я долго по тебе грустил,
Страдал, тобой надеждой жил, —
Но ты смеялась надо мною!..

Теперь... прости! прости навек!
Любви мне тяжко вспоминанье!
Не вырвешь более признанья;
Но сердца горестный упрек
Тебе напомнить лишь заставил
О том, что было... Полно! я
Свой жребий небу предоставил...
Прости! ты больше *не моя!..*

⟨1830⟩
Воронеж

НА МОГИЛЕ ЭМИЛИИ

Привет могиле одинокой!
Печальный мох ее покрыл
С тех пор, как смерти сон глубокой
От нас ее жилицу скрыл.

Окончен рано подвиг трудный,
Загадка жизни решена!
Любовь почила беспробудно,
И радость тленью предана.

Какие тайные законы
Тебя б в сей жизни ни вели,
Но участь горькую Миньоны
Ты испытала на земли.

Ты с горем свыклась с колыбели,
Тебя не видел отчий кров,
Звездой падучей пролетели
И жизнь, и младость, и любовь.

Но над печальною могилой
Не смолкнул голос клеветы;
Она терзает призрак милый
И жжет надгробные цветы...

Пусть смертный ждет судьбы со страхом,
И чем бы ни был бог земной —
Повсюдной жизнью или прахом, —
Благословение с тобой!

Но если утро воскресенья
Придет на светлых облаках,
Восстань с лучом преображенья
В твоих лазоревых очах.

Лети, лети в края отчизны,
Оковы тленья разорви!
Будь с ним одна в единой жизни,
В единой зиждущей любви.

1833

ЭДУАРД ИВАНОВИЧ ГУБЕР

1814—1847

ДУШЕ

Умри, заглохни, страсть мятежная,
Души печальной не волнуй!
Не для тебя надежда нежная,
Любви горячий поцелуй!

Зачем ты требуешь участия,
Душа, страдалица моя?
Тебе ль искать земного счастия
В холодном море бытия?

Не ты ль сподобилась страдания
От юных лет, от первых дней?
Неси свой крест без содрогания,
Красуйся язвами скорбей!

Но долго слово отвержения
Волнует пламенную кровь,
Но страшно слушать смех презрения
В ответ на знойную любовь.

Для всех цветет надежда нежная,
Любовь для всех дана судьбой;
Лишь для тебя, душа мятежная,
Души не создано другой!

1839

ЛЮБОВЬ

Безумно жаждать тихой встречи,
Со страхом встречи избегать,
С безмолвной негой слушать речи,
Дыханье сладкое впивать;

Ловить задумчивые взоры,
Упасть на девственную грудь,
С восторгом — ласки и укоры
В одном лобзании вдохнуть;

Ее одну повсюду видеть,
В нее и душу перелить,
Весь этот мир возненавидеть,
Чтоб в нем одну ее любить;

Терзать с жестоким наслажденьем,
Чтоб слезы пить с ее ресниц;
Ревнивым мучить подозреньем,
И проклинать, и падать ниц;

Слезами робко ей молиться,
Ее терзать, ее томить,
Ее томленьем насладиться —
Вот так хотел бы я любить!

⟨*1842*⟩

МИХАИЛ ЮРЬЕВИЧ ЛЕРМОНТОВ

1814—1841

РАСКАЯНЬЕ

К чему мятежное роптанье,
Укор владеющей судьбе?
Она была добра к тебе,
Ты создал сам свое страданье.
Бессмысленный, ты обладал
Душою чистой, откровенной,
Всеобщим злом не зараженной,
И этот клад ты потерял.

Огонь любви первоначальной
Ты в ней решился зародить
И далее не мог любить,
Достигнув цели сей печальной.
Ты презрел все; между людей
Стоишь, как дуб в стране пустынной,
И тихий плач любви невинной
Не мог потрясть души твоей.

Не дважды бог дает нам радость,
Взаимной страстью веселя;
Без утешения, томя,
Пройдет и жизнь твоя, как младость.
Ее лобзанье встретишь ты
В устах обманщицы прекрасной;
И будут пред тобой всечасно
Предмета первого черты.

О, вымоли ее прощенье,
Пади, пади к ее ногам,
Не то ты приготовишь сам
Свой ад, отвергнув примиренье,
Хоть будешь ты еще любить,
Но прежним чувствам нет возврату,
Ты вечно первую утрату
Не будешь в силах заменить.

1830

Н. Ф. И....ВОЙ

Любил с начала жизни я
Угрюмое уединенье,
Где укрывался весь в себя,
Бояся, грусть не утая,
Будить людское сожаленье;

Счастливцы, мнил я, не поймут
Того, что сам не разберу я,

И черных дум не унесут
Ни радость дружеских минут,
Ни страстный пламень поцелуя.

Мои неясные мечты
Я выразить хотел стихами,
Чтобы, прочтя сии листы,
Меня бы примирила ты
С людьми и с буйными страстями;

Но взор спокойный, чистый твой
В меня вперился изумленный.
Ты покачала головой,
Сказав, что болен разум мой,
Желаньем вздорным ослепленный.

Я, веруя твоим словам,
Глубоко в сердце погрузился,
Однако же нашел я там,
Что ум мой не по пустякам
К чему-то тайному стремился,

К тому, чего даны в залог
С толпою звезд ночные своды,
К тому, что обещал нам бог
И что б уразуметь я мог
Через мышления и годы.

Но пылкий, но суровый нрав
Меня грызет от колыбели...
И в жизни зло лишь испытав,
Умру я, сердцем не познав
Печальных дум печальной цели.

1830

К СУ⟨ШКОВОЙ⟩

Вблизи тебя до этих пор
Я не слыхал в груди огня.
Встречал ли твой прелестный взор —
Не билось сердце у меня.

И что ж? — разлуки первый звук
Меня заставил трепетать;
Нет, нет, он не предвестник мук;
Я не люблю — зачем скрывать!

Однако же хоть день, хоть час
Еще желал бы здесь пробыть,
Чтоб блеском этих чудных глаз
Души тревоги усмирить.

1830

* * *

Итак, прощай! Впервые этот звук
Тревожит так жестоко грудь мою.
Прощай! — шесть букв приносят столько мук!
Уносят все, что я теперь люблю!
Я встречу взор ее прекрасных глаз,
И, может быть, как знать... в последний раз!

1830

ПЕРВАЯ ЛЮБОВЬ

В ребячестве моем тоску любови знойной
Уж стал я понимать душою беспокойной;
На мягком ложе сна не раз во тьме ночной,
При свете трепетном лампады образной,
Воображением, предчувствием томимый,
Я предавал свой ум мечте непобедимой,
Я видел женский лик, он хладен был, как лед,
И очи — этот взор в груди моей живет;
Как совесть душу он хранит от преступлений;
Он след единственный младенческих видений.
И деву чудную любил я, как любить
Не мог еще с тех пор, не стану, может быть.
Когда же улетел мой призрак драгоценный,
Я в одиночестве кидал свой взгляд смущенный
На стены желтые, и мнилось, тени с них
Сходили медленно до самых ног моих.
И мрачно, как они, воспоминанье было
О том, что лишь мечта и между тем так мило.

1830

К***

Не ты, но судьба виновата была,
      Что скоро ты мне изменила,
Она тебе прелести женщин дала,
      Но женское сердце вложила.

Как в море широком следы челнока,
    Мгновенье его впечатленья,
Любовь для него, как веселье, легка,
    А горе не стоит мгновенья.

Но в час свой урочный узнает оно
    Цепей неизбежное бремя.
Прости, нам расстаться теперь суждено,
    Расстаться до этого время.

Тогда я опять появлюсь пред тобой,
    И речь моя ум твой встревожит,
И пусть я услышу ответ роковой,
    Тогда ничего не поможет.

Нет, нет! милый голос и пламенный взор
    Тогда своей власти лишатся;
Вослед за тобой побежит мой укор,
    И в душу он будет впиваться.

И мщенье, напомнив, что я перенес,
    Уста мои к смеху принудит,
Хоть эта улыбка всех, всех твоих слез
    Гораздо мучительней будет.

1831

К СЕБЕ

Как я хотел себя уверить,
Что не люблю ее, хотел
Неизмеримое измерить,
Любви безбрежной дать предел.

Мгновенное пренебреженье
Ее могущества опять
Мне доказало, что влеченье
Души нельзя нам побеждать;

Что цепь моя несокрушима,
Что мой теперешний покой
Лишь глас залетный херувима
Над сонной демонов толпой.

1831

РОМАНС К И...

Когда я унесу в чужбину
Под небо южной стороны
Мою жестокую кручину,
Мои обманчивые сны
И люди с злобой ядовитой
Осудят жизнь мою порой, —

Ты будешь ли моей защитой
Перед бесчувственной толпой?

О будь!... о! вспомни нашу младость,
Злословья жертву пощади,
Кляпися в том! чтоб вовсе радость
Не умерла в моей груди,
Чтоб я сказал в земле изгнанья:
Есть сердце, лучших дней залог,
Где почтены мои страданья,
Где мир их очернить не мог!..

1831

К Н. И......

Я не достоин, может быть,
Твоей любви: не мне судить;
Но ты обманом наградила
Мои надежды и мечты,
И я всегда скажу, что ты
Несправедливо поступила.
Ты не коварна, как змея,
Лишь часто новым впечатленьям
Душа вверяется твоя.
Она увлечена мгновеньем;
Ей милы многие, вполне
Еще никто; но это мне
Служить не может утешеньем.
В те дни, когда, любим тобой,
Я мог доволен быть судьбой,

Прощальный поцелуй однажды
Я сорвал с нежных уст твоих;
Но в зной, среди степей сухих,
Не утоляет капля жажды.

Дай бог, чтоб ты нашла опять,
Что не боялась потерять;
Но... женщина забыть не может
Того, кто так любил, как я;
И в час блаженнейший тебя
Воспоминание встревожит!

Тебя раскаянье кольнет,
Когда с насмешкой проклянет
Ничтожный мир мое названье!
И побоишься защитить,
Чтобы в преступном состраданье
Вновь обвиняемой не быть!

1831

* * *

Она была прекрасна, как мечта
Ребенка под светилом южных стран;
Кто объяснит, что значит красота:
Грудь полная, иль стройный гибкий стан,
Или большие очи? — Но порой
Все это не зовем мы красотой:
Уста без слов — любить никто не мог;
Взор без огня — без запаха цветок!

О небо, я клянусь, она была
Прекрасна!.. я горел, я трепетал,
Когда кудрей, сбегающих с чела,
Шелк золотой рукой своей встречал,
Я был готов упасть к ногам ее,
Отдать ей волю, жизнь, и рай, и все,
Чтоб получить один, один лишь взгляд
Из тех, которых все блаженство — яд!

1832

* * *

Время сердцу быть в покое
От волненья своего
С той минуты, как другое
Уж не бьется для него;
Но пускай оно трепещет —
То безумной страсти след:
Так все бурно море плещет,
Хоть над ним уж бури нет!..

Неужли ты не видала
В час разлуки роковой,
Как слеза моя блистала,
Чтоб упасть перед тобой?
Ты отвергнула с презреньем
Жертву лучшую мою,
Ты боялась сожаленьем
Воскресить любовь свою.

Но сердечного недуга
Не могла ты утаить;
Слишком знаем мы друг друга,
Чтоб друг друга позабыть.
Так расселись под громами,
Видел я, в единый миг
Пощаженные веками
Два утеса бреговых;
Но приметно сохранила
Знаки каждая скала,
Что природа съединила,
А судьба их развела.

1832

К*

Я не унижусь пред тобою;
Ни твой привет, ни твой укор
Не властны над моей душою.
Знай: мы чужие с этих пор.
Ты позабыла: я свободы
Для заблужденья не отдам;
И так пожертвовал я годы
Твоей улыбке и глазам,
И так я слишком долго видел
В тебе надежду юных дней
И целый мир возненавидел,
Чтобы тебя любить сильней.
Как знать, быть может, те мгновенья,
Что протекли у ног твоих,

Я отнимал у вдохновенья!
А чем ты заменила их?
Быть может, мыслию небесной
И силой духа убежден,
Я дал бы миру дар чудесный,
А мне за то бессмертье он?
Зачем так нежно обещала
Ты заменить его венец,
Зачем ты не была сначала,
Какою стала наконец!
Я горд! — прости! люби другого,
Мечтай любовь найти в другом;
Чего б то ни было земного
Я не соделаюсь рабом.
К чужим горам, под небо юга
Я удалюся, может быть;
Но слишком знаем мы друг друга,
Чтобы друг друга позабыть.
Отныне стану наслаждаться
И в страсти стану клясться всем;
Со всеми буду я смеяться,
А плакать не хочу ни с кем;
Начну обманывать безбожно,
Чтоб не любить, как я любил —
Иль женщин уважать возможно,
Когда мне ангел изменил?
Я был готов на смерть и муку
И целый мир на битву звать,
Чтобы твою младую руку —
Безумец! — лишний раз пожать!
Не знав коварную измену,
Тебе я душу отдавал;
Такой души ты знала ль цену?
Ты знала — я тебя не знал!

1832

* * *

Поцелуями прежде считал
    Я счастливую жизнь свою,
Но теперь я от счастья устал,
    Но теперь никого не люблю.

И слезами когда-то считал
    Я мятежную жизнь мою,
Но тогда я любил и желал —
    А теперь никого не люблю!

И я счет своих лет потерял
    И крылья забвенья ловлю:
Как я сердце унесть бы им дал!
    Как бы вечность им бросил мою!

1832

К*

Оставь напрасные заботы,
Не обнажай минувших дней;
В них не откроешь ничего ты,
За что б меня любить сильней!
Ты любишь — верю — и довольно;
Кого — ты ведать не должна;
Тебе открыть мне было б больно,
Как жизнь моя пуста, черна.

Не погублю святое счастье
Такой души и не скажу,
Что недостоин я участья,
Что сам ничем не дорожу;
Что все, чем сердце дорожило,
Теперь для сердца стало яд,
Что для него страданье мило,
Как спутник, собственность иль брат,
Промолвив ласковое слово,
В награду требуй жизнь мою;
Но, друг мой, не проси былого,
Я мук своих не продаю.

1832

* * *

Она не гордой красотою
Прельщает юношей живых,
Она не водит за собою
Толпу вздыхателей немых.
И стан ее не стан богини,
И грудь волною не встает,
И в ней никто своей святыни,
Припав к земле, не признает.
Однако все ее движенья,
Улыбки, речи и черты
Так полны жизни, вдохновенья,
Так полны чудной простоты.

Но голос душу проникает,
Как вспоминанье лучших дней,
И сердце любит и страдает,
Почти стыдясь любви своей.

1832

МОЛИТВА

Я, матерь божия, ныне с молитвою
Пред твоим образом, ярким сиянием,
Не о спасении, не перед битвою,
Не с благодарностью иль покаянием,

Не за свою молю душу пустынную,
За душу странника в свете безродного;
Но я вручить хочу деву невинную
Теплой заступнице мира холодного.

Окружи счастием душу достойную;
Дай ей сопутников, полных внимания,
Молодость светлую, старость покойную,
Сердцу незлобному мир упования.

Срок ли приблизится часу прощальному
В утро ли шумное, в ночь ли безгласную —
Ты восприять пошли к ложу печальному
Лучшего ангела душу прекрасную.

1837

* * *

Расстались мы, но твой портрет
Я на груди моей храню:
Как бледный призрак лучших лет,
Он душу радует мою.

И, новым преданный страстям,
Я разлюбить его не мог:
Так храм оставленный — все храм,
Кумир поверженный — все бог!

1837

* * *

Я не хочу, чтоб свет узнал
Мою таинственную повесть;
Как я любил, за что страдал,
Тому судья лишь бог да совесть!..

Им сердце в чувствах даст отчет,
У них попросит сожаленья;
И пусть меня накажет тот,
Кто изобрел мои мученья;

Укор невежд, укор людей
Души высокой не печалит;
Пускай шумит волна морей,
Утес гранитный не повалит;

Его чело меж облаков,
Он двух стихий жилец угрюмый
И, кроме бури да громов,
Он никому не вверит думы...

1837

* * *

Она поет — и звуки тают
Как поцелуи на устах,
Глядит — и небеса играют
В ее божественных глазах;
Идет ли — все ее движенья,
Иль молвит слово — все черты
Так полны чувства, выраженья,
Так полны дивной простоты.

1838

* * *

Как небеса твой взор блистает
    Эмалью голубой,
Как поцелуй, звучит и тает
    Твой голос молодой;

За звук один волшебной речи,
    За твой единый взгляд,
Я рад отдать красавца сечи,
    Грузинский мой булат;

И он порою сладко блещет,
    И сладостней звучит,
При звуке том душа трепещет
    И в сердце кровь кипит.

Но жизнью бранной и мятежной
    Не тешусь я с тех пор,
Как услыхал твой голос нежный
    И встретил милый взор.

1838

* * *

Слышу ли голос твой
Звонкий и ласковый,
Как птичка в клетке,
Сердце запрыгает;

Встречу ль глаза твои
Лазурно-глубокие,
Душа им навстречу
Из груди просится,

И как-то весело,
И хочется плакать,
И так на шею бы
Тебе я кинулся.

1838

ОТЧЕГО

Мне грустно, потому что я тебя люблю,
И знаю: молодость цветущую твою
Не пощадит молвы коварное гоненье.
За каждый светлый день иль сладкое мгновенье
Слезами и тоской заплатишь ты судьбе.
Мне грустно... потому что весело тебе.

1840

А. О. СМИРНОВОЙ

Без вас хочу сказать вам много,
При вас я слушать вас хочу;
Но молча вы глядите строго,
И я в смущении молчу.
Что ж делать?.. Речью неискусной
Занять ваш ум мне не дано...
Все это было бы смешно,
Когда бы не было так грустно...

1840

УТЕС

Ночевала тучка золотая
На груди утеса-великана;
Утром в путь она умчалась рано,
По лазури весело играя;

Но остался влажный след в морщине
Старого утеса. Одиноко
Он стоит, задумался глубоко,
И тихонько плачет он в пустыне.

1841

* * *

> Sie liebten sich beide, doch keiner
> Wollt'es dem andern gestehn.
>
> *Heine*[1]

Они любили друг друга так долго и нежно,
С тоской глубокой и страстью безумно-мятежной!
Но, как враги, избегали признанья и встречи,
И были пусты и хладны их краткие речи.

Они расстались в безмолвном и гордом страданье
И милый образ во сне лишь порою видали.
И смерть пришла; наступило за гробом свиданье...
Но в мире новом друг друга они не узнали.

1841

* * *

1

Нет, не тебя так пылко я люблю,
Не для меня красы твоей блистанье;
Люблю в тебе я прошлое страданье
И молодость погибшую мою.

---

[1] Они любили друг друга, но ни один не желал признаться
в этом другому. *Гейне (нем.).*

2

Когда порой я на тебя смотрю,
В твои глаза вникая долгим взором;
Таинственным я занят разговором,
Но не с тобой я сердцем говорю.

3

Я говорю с подругой юных дней,
В твоих чертах ищу черты другие,
В устах живых уста давно немые,
В глазах огонь угаснувших очей.

1841

МОРСКАЯ ЦАРЕВНА

В море царевич купает коня;
Слышит: «Царевич! взгляни на меня!»

Фыркает конь и ушами прядет,
Брызжет и плещет и дале плывет.

Слышит царевич: «Я царская дочь!
Хочешь провесть ты с царевною ночь?»

Вот показалась рука из воды,
Ловит за кисти шелко́вой узды.

Вышла младая потом голова,
В косу вплелася морская трава.

Синие очи любовью горят;
Брызги на шее, как жемчуг, дрожат.

Мыслит царевич: «Добро же! постой!»
За косу ловко схватил он рукой.

Держит, рука боевая сильна:
Плачет и молит и бьется она.

К берегу витязь отважно плывет;
Выплыл; товарищей громко зовет:

«Эй, вы! сходитесь, лихие друзья!
Гляньте, как бьется добыча моя...

Что ж вы стоите смущенной толпой?
Али красы не видали такой?»

Вот оглянулся царевич назад:
Ахнул! померк торжествующий взгляд.

Видит, лежит на песке золотом
Чудо морское с зеленым хвостом;

Хвост чешуею змеиной покрыт,
Весь замирая, свиваясь, дрожит;

Пена струями сбегает с чела,
Очи одела смертельная мгла.

Бледные руки хватают песок;
Шепчут уста непонятный упрек...

Едет царевич задумчиво прочь,
Будет он помнить про царскую дочь!

1841

* * *

Из-под таинственной, холодной полумаски
Звучал мне голос твой, отрадный, как мечта,
Светили мне твои пленительные глазки
И улыбалися лукавые уста.

Сквозь дымку легкую заметил я невольно
И девственных ланит и шеи белизну.
Счастливец! видел я и локон своевольный,
Родных кудрей покинувший волну!..

И создал я тогда в моем воображенье
По легким признакам красавицу мою;
И с той поры бесплотное виденье
Ношу в душе моей, ласкаю и люблю.

И все мне кажется: живые эти речи
В года минувшие слыхал когда-то я;
И кто-то шепчет мне, что после этой встречи
Мы вновь увидимся, как старые друзья.

НАДЕЖДА СЕРГЕЕВНА ТЕПЛОВА

1814—1848

ЯЗЫК ОЧЕЙ

Как много дум невнятных выражает
    Один уныло-долгий взор;
    И сей беззвучный разговор
    Одно лишь сердце понимает!
Язык очей — язык красноречивый!
Внимай ему в час вдохновенный тот,
Когда поэт, мечтой своей счастливый,
    Не говорит и не поет.

1831

СОЖАЛЕНИЕ

Мне жаль его! зачем его душою
Так суетно, нещадно так играть,
И сон любви прекрасной нарушать
Насмешкою холодной и пустою!

Мне жаль его; когда без разделенья
В душе умрет таимая любовь,
Оставь его в счастливом заблужденьи
Иль возврати ему надежду вновь!..

1837

СЕРГЕЙ ФЕДОРОВИЧ ДУРОВ

1816—1869

* * *

Жаркое чувство любви не надолго в душе остается:
Только что вспыхнет оно и угасает сейчас же. Но пепел
Этого чувства души возрождает в нас новое чувство:
Дружбу, которая нам никогда и ни в чем не изменит.
Так из простого цветка образуется осенью поздней
Плод, услаждающий вкус, обоняние и взгляд человека.

1847

КОНСТАНТИН СЕРГЕЕВИЧ АКСАКОВ

1817—1860

* * *

Помнишь ли ты, помнишь ли ты?
Здесь по весенним долинам цветы,
В полдень торжественный шум водопада,
Звуки рожка и бродящее стадо,
Легкий румянец вечерних небес,
Звездную ночь и задумчивый лес, —
       Помнишь ли ты?

Помнишь ли ты, помнишь ли ты?
Чудные светлые детства мечты,
Счастье с улыбкою, с радостью вечной,
Игры, забавы той жизни беспечной,
Детства прекрасного ясные дни,
Облаком легким промчались они, —
       Помнишь ли ты?

1836

СТИХОТВОРЕНИЯ
В ДУХЕ НЕДАВНО ПРОШЕДШЕЙ ПОЭЗИИ

1

Мой друг, любовь мы оба знали,
Мы оба, в сладостном огне,
Друг к другу страстию пылали,
И я к тебе, и ты ко мне.

Царило сладкое безумье,
Лилися слезы, взор горел...
Но наконец пришло раздумье,
Полет любви отяжелел.

Улыбка злая промелькнула,
Извив насмешливо уста;
Она о многом намекнула,
Что впереди. Вдали сверкнуло...
Свет новый озарил места.

Счастлива ты, моя подруга,
Что так же гордо, как и я,
Сосуд любовного недуга
Разбила вмиг рука твоя.

Так, мы не стали дожидаться
Тех вялых, бесполезных дней,
Когда любовь начнет скрываться,
Когда обманы нужны ей.

И неспособны мы, как дети,
Одно мечтать, одно любить
И детски в собственные сети
Себя самих всегда ловить.

Смеемся мы теперь с тобою
Над тем, что было счастьем нам.
Разрушен, тешит нас собою
Хвалы когда-то полный храм.

⟨1846⟩

2

Твои уста, твой взор молили,
Чтоб я тебя не покидал;
Младые очи слезы лили,
И голос, плача, замирал;

Просила ты хотя участья;
Ты клятвы вспоминала мне,
Пору безумия и счастья;
Ты бредила о прежнем сне.

Но я, с улыбкой горделивой,
Сказал: «Оставь свои мечты!
Носи оковы терпеливо,
Коль их разбить не хочешь ты.

Страдай, сама виной страданий;
Мечтай, коль не устала ты
От вечных грез и упований;
Влачи всю жизнь рабой мечты.

Плачь над развалинами счастья,
Встречай в стенании зарю!
Безумью жалкому — участья
Я никогда не подарю.

А я, смотри, как птица волен;
Не зная мнения препон,
Всегда свободен и доволен,
Всегда я сам себе закон.

Одето сердце будто сталью.
Оставь мольбы свои, пусти!
Смеюсь я над твоей печалью,
С улыбкой говорю: прости!»

⟨*1846*⟩

АЛЕКСЕЙ КОНСТАНТИНОВИЧ ТОЛСТОЙ

1817—1875

* * *

Средь шумного бала, случайно,
В тревоге мирской суеты,
Тебя я увидел, но тайна
Твои покрывала черты;

Лишь очи печально глядели,
А голос так дивно звучал,
Как звон отдаленной свирели,
Как моря играющий вал.

Мне стан твой понравился тонкий
И весь твой задумчивый вид,
А смех твой, и грустный и звонкий,
С тех пор в моем сердце звучит.

В часы одинокие ночи
Люблю я, усталый, прилечь —
Я вижу печальные очи,
Я слышу веселую речь,

И грустно я так засыпаю,
И в грезах неведомых сплю...
Люблю ли тебя — я не знаю,
Но кажется мне, что люблю!

1851

* * *

Ты не спрашивай, не распытывай,
Умом-разумом не раскидывай:
Как люблю тебя, почему люблю,
И за что люблю, и надолго ли?
Ты не спрашивай, не распытывай:
Что сестра ль ты мне, молода ль жена
Или детище ты мне малое?

И не знаю я и не ведаю,
Как назвать тебя, как прикликати.
Много цветиков во чистом поле,
Много звезд горит по поднébесью,
А назвать-то их нет умения,
Распознать-то их нету силушки.
Полюбив тебя, я не спрашивал,
Не разгадывал, не распытывал;
Полюбив тебя, я махнул рукой,
Очертил свою буйну голову!

30 октября 1851

* * *

Не ветер, вея с высоты,
Листов коснулся ночью лунной —
Моей души коснулась ты:
Она тревожна, как листы,
Она, как гусли, многострунна!
Житейский вихрь ее терзал
И сокрушительным набегом,
Свистя и воя, струны рвал
И заносил холодным снегом;
Твоя же речь ласкает слух,
Твое легко прикосновенье,
Как от цветов летящий пух,
Как майской ночи дуновенье...

⟨*1851 или 1852 (?)*⟩

* * *

Не верь мне, друг, когда, в избытке горя,
Я говорю, что разлюбил тебя, —
В отлива час не верь измене моря,
Оно к земле воротится, любя.

Уж я тоскую, прежней страсти полный,
Мою свободу вновь тебе отдам —
И уж бегут с обратным шумом волны
Издалека к любимым берегам.

Лето 1856

* * *

Вот уж снег последний в поле тает,
Теплый пар восходит от земли,
И кувшинчик синий расцветает,
И зовут друг друга журавли.

Юный лес, в зеленый дым одетый,
Теплых гроз нетерпеливо ждет;
Все весны дыханием согрето,
Все кругом и любит и поет;

Утром небо ясно и прозрачно,
Ночью звезды светят так светло —
Отчего ж в душе твоей так мрачно
И зачем на сердце тяжело?

Грустно жить тебе, о друг, я знаю,
И понятна мне твоя печаль:
Отлетела б ты к родному краю
И земной весны тебе не жаль...

⟨*1856*⟩

* * *

Острою секирой ранена береза,
По коре сребристой покатились слезы.
Ты не плачь, береза, бедная, не сетуй,
Рана не смертельна, вылечишься к лету,
Будешь красоваться, листьями убра́на, —
Лишь больное сердце не залечит раны.

Лето 1856

* * *

Слеза дрожит в твоем ревнивом взоре —
О, не грусти, ты все мне дорога!
Но я любить могу лишь на просторе —
Мою любовь, широкую, как море,
Вместить не могут жизни берега.

Когда Глагола творческая сила
Толпы миров воззвала из ночи,
Любовь их все, как солнце, озарила,
И лишь на землю к нам ее светила
Нисходят порознь редкие лучи.

И, порознь их отыскивая жадно,
Мы ловим отблеск вечной красоты;
Нам вестью лес о ней шумит отрадной,
О ней поток гремит струею хладной
И говорят, качаяся, цветы.

И любим мы любовью раздробленной
И тихий шепот вербы над ручьем,
И милой девы взор, на нас склоненный,
И звездный блеск, и все красы вселенной,
И ничего мы вместе не сольем.

Но не грусти, земное минет горе,
Пожди еще — неволя недолга, —
В одну любовь мы все сольемся вскоре,
В одну любовь, широкую как море,
Что не вместят земные берега!

⟨1858⟩

* * *

С тех пор как я один, с тех пор как ты далеко,
В тревожном полусне когда забудусь я,
Светлей моей души недремлющее око
И близость явственней духовная твоя.

Сестра моей души, с улыбкою участья
Твой тихий, кроткий лик склоняется ко мне,
И я, исполненный мучительного счастья,
Любящий чую взор в тревожном полусне.

О, если в этот час ты также им объята,
Мы думою, скажи, проникнуты ль одной
И видится ль тебе туманный образ брата,
С улыбкой грустною склоненный над тобой?

⟨1858⟩

* * *

Осень. Обсыпается весь наш бедный сад,
Листья пожелтелые по ветру летят;
Лишь вдали красуются, там на дне долин,
Кисти ярко-красные вянущих рябин.
Весело и горестно сердцу моему,
Молча твои рученьки грею я и жму,
В очи тебе глядючи, молча слезы лью,
Не умея высказать, как тебя люблю!

⟨1858⟩

* * *

На нивы желтые нисходит тишина,
В остывшем воздухе от меркнущих селений,
Дрожа, несется звон... Душа моя полна
Разлукою с тобой и горьких сожалений.

И каждый мой упрек я вспоминаю вновь,
И каждое твержу приветливое слово,
Что мог бы я сказать тебе, моя любовь,
Но что внутри себя я схоронил сурово.

⟨1862⟩

* * *

То было раннею весной,
　　Трава едва всходила,
Ручьи текли, не парил зной,
　　И зелень рощ сквозила;

Труба пастушья поутру
　　Еще не пела звонко,
И в завитках еще в бору
　　Был папоротник тонкий;

То было раннею весной,
　　В тени берез то было,
Когда с улыбкой предо мной
　　Ты очи опустила...

То на любовь мою в ответ
    Ты опустила вежды —
О жизнь! О лес! О солнца свет!
    О юность! О надежды!

И плакал я перед тобой,
    На лик твой глядя милый, —
То было раннею весной,
    В тени берез то было!

То было в утро наших лет —
    О счастие! О слезы!
О лес! О жизнь! О солнца свет!
    О свежий дух березы!

Май 1871

ИВАН СЕРГЕЕВИЧ ТУРГЕНЕВ

1818—1883

* * *

Дай мне руку — и пойдем мы в поле,
Друг души задумчивой моей...
Наша жизнь сегодня в нашей воле —
Дорожишь ты жизнию своей?
Если нет, мы этот день погубим,
Этот день мы вычеркнем шутя.
Все, о чем томились мы, что любим —
Позабудем до другого дня...
Пусть над жизнью пестрой и тревожной
Этот день, не возвращаясь вновь,
Пролетит, как над толпой безбожной
Детская, смиренная любовь...
Светлый пар клубится над рекою,
И заря торжественно зажглась.
Ах, сойтись хотел бы я с тобою,
Как сошлись с тобой мы в первый раз.
«Но к чему, не снова ли былое
Повторять?» — мне отвечаешь ты.

Позабудь все тяжкое, все злое,
Позабудь, что расставались мы.
Верь: смущен и тронут я глубоко,
И к тебе стремится вся душа
Жадно так, как никогда потока
В озеро не просится волна...
Посмотри... как небо дивно блещет,
Наглядись, а там кругом взгляни,
Ничего напрасно не трепещет,
Благодать покоя и любви...
И в себе присутствие святыни
Признаю, хоть недостоин ей.
Нет стыда, ни страха, ни гордыни,
Даже грусти нет в душе моей...
О, пойдем — и будем ли безмолвны,
Говорить ли станем мы с тобой,
Зашумят ли страсти, словно волны,
Иль уснут, как тучи под луной, —
Знаю я, великие мгновенья,
Вечные с тобой мы проживем.
Этот день, быть может, день спасенья,
Может быть, друг друга мы поймем.

1842

К А. С.

Я вас знавал... тому давно,
Мне, право, стыдно и грешно.
Что я тогда вас не заметил...
Вы только что вступили в свет —

Вам было восемнадцать лет...
На бале где-то я вас встретил.

И кто-то к вам меня подвел —
Я с вами нехотя пошел,
Я полон был тревоги страстной...
Тогда — тогда я был влюблен;
Но та любовь прошла, как сон,
И безотрадный и напрасный.

Другую женщину я ждал,
Я даже вам не отвечал;
Но я заметил ваши руки...
Заметил милый ваш наряд,
И ваш прекрасный, умный взгляд,
И речи девственные звуки.

Но все, что в сердце молодом
Дремало легким, чутким сном
Перед внезапным пробужденьем, —
Осталось тайной для меня...
Хоть помню, вас покинул я
С каким-то смутным сожаленьем.

А случай вновь не сблизил нас...
И вдруг теперь я встретил вас.
Вы изменились, как Татьяна;
Я не слыхал таких речей,
Я не видал таких плечей,
Такого царственного стана...

На ваших мраморных чертах,
На несмеющихся губах
Печать могучего сознанья...
Сияя страшной красотой,

Вы предстоите предо мной
Богиней гордого страданья.

И я молю вас в тишине:
Всю вашу жизнь раскройте мне...
Но взгляда вашего я трушу...
Нет, нет! я стар — нет, я вам чужд,
Давно в борьбе страстей и нужд
Я истощил и жизнь и душу.

1843

* * *

К чему твержу я стих унылый,
Зачем в полночной тишине
Тот голос страстный, голос милый,
Летит и просится ко мне,—

Зачем? огонь немых страданий
В ее душе зажег не я...
В ее груди, в тоске рыданий
Тот стон звучал не для меня.

Так для чего же так безумно
Душа бежит к ее ногам,
Как волны моря мчатся шумно
К недостижимым берегам?

1843

⟨В ДОРОГЕ⟩

Утро туманное, утро седое,
Нивы печальные, снегом покрытые,
Нехотя вспомнишь и время былое,
Вспомнишь и лица, давно позабытые.

Вспомнишь обильные страстные речи,
Взгляды, так жадно, так робко ловимые,
Первые встречи, последние встречи,
Тихого голоса звуки любимые.

Вспомнишь разлуку с улыбкою странной,
Многое вспомнишь родное, далекое,
Слушая ропот колес непрестанный,
Глядя задумчиво в небо широкое.

1843

АЛЕКСЕЙ ЕРМИЛОВИЧ РАЗОРЕНОВ

1819—1891

* * *

Не брани меня, родная,
Что я так люблю его,
Скучно, скучно, дорогая,
Жить одной мне без пего.

Я не знаю, что такое
Вдруг случилося со мной.
Что так рвется ретивое
И терзается тоской.

Все оно во мне изныло,
Вся горю я, как в огне,
Все немило, все постыло,
И страдаю я по нем.

В ясны дни и темны ночи,
И во сне и наяву
Слезы мне туманят очи,
Все летела б я к нему.

Мне не нужны все наряды,
Ленты, камни и парчи,
Кудри молодца и взгляды
Сердце бедное зажгли.

Сжалься, сжалься же, родная,
Перестань меня бранить,
Знать, судьба моя такая,
Что должна его любить.

1880

ЯКОВ ПЕТРОВИЧ ПОЛОНСКИЙ

1819—1898

* * *

Пришли и стали тени ночи
На страже у моих дверей!
Смелей глядит мне прямо в очи
Глубокий мрак ее очей;
Над ухом шепчет голос нежный,
И змейкой бьется мне в лицо
Ее волос, моей небрежной
Рукой измятое, кольцо.

Помедли, ночь! густою тьмою
Покрой волшебный мир любви!
Ты, время, дряхлою рукою
Свои часы останови!

Но покачнулись тени ночи,
Бегут, шатаяся, назад.
Ее потупленные очи
Уже глядят и не глядят;

В моих руках рука застыла,
Стыдливо на моей груди
Она лицо свое сокрыла...
О солнце, солнце! Погоди!

1842

ВСТРЕЧА

Вчера мы встретились; — она остановилась —
Я также — мы в глаза друг другу посмотрели.
О боже, как она с тех пор переменилась;
В глазах потух огонь, и щеки побледнели.
И долго на нее глядел я молча строго —
Мне руку протянув, бедняжка улыбнулась;
Я говорить хотел — она же ради бога
Велела мне молчать, и тут же отвернулась,
И брови сдвинула, и выдернула руку,
И молвила: «Прощайте, до свиданья»,
А я хотел сказать: «На вечную разлуку
Прощай, *погибшее, но милое создание*».

⟨*1844*⟩

ПОСЛЕДНИЙ РАЗГОВОР

Соловей поет в затишье сада;
Огоньки потухли за прудом.
Ночь тиха.— Ты, может быть, не рада,
Что с тобой остался я вдвоем?

Я б и сам желал с тобой расстаться;
Да мне жаль покинуть ту скамью,
Где мечтам ты любишь предаваться
И внимать ночному соловью.

Не смущайся! Ни о том, что́ было,
Ни о том, как мог бы я любить,
Ни о том, как это сердце ныло,—
Я с тобой не стану говорить.

Речь моя волнует и тревожит...
Веселее соловью внимать,
Оттого что соловей не может
Заблуждаться и, любя, страдать...

Но и он затих во мраке ночи,
Улетел, счастливец, на покой...
Пожелай и мне спокойной ночи
До приятного свидания с тобой!

Пожелай мне ночи не заметить
И другим очнуться в небесах,
Где б я мог тебя достойно встретить
С соловьиной песней на устах!

1845

ЗАТВОРНИЦА

В одной знакомой улице —
    Я помню старый дом,
С высокой, темной лестницей,
    С завешенным окном.
Там огонек, как звездочка,
    До полночи светил,
И ветер занавескою
    Тихонько шевелил.
Никто не знал, какая там
    Затворница жила,
Какая сила тайная
    Меня туда влекла,
И что за чудо-девушка
    В заветный час ночной
Меня встречала, бледная,
    С распущенной косой.
Какие речи детские
    Она твердила мне:
О жизни неизведанной,
    О дальней стороне.
Как не по-детски пламенно,
    Прильнув к устам моим,
Она, дрожа, шептала мне:
    «Послушай, убежим!
Мы будем птицы вольные —
    Забудем гордый свет...
Где нет людей прощающих,
    Туда возврата нет...»
И тихо слезы капали —
    И поцелуй звучал —
И ветер занавескою
    Тревожно колыхал.

Тифлис, 1846, июля 20

ПЕСНЯ ЦЫГАНКИ

Мой костер в тумане светит;
Искры гаснут на лету...
Ночью нас никто не встретит;
Мы простимся на мосту.

Ночь пройдет — и спозаранок
В степь далеко, милый мой,
Я уйду с толпой цыганок
За кибиткой кочевой.

На прощанье шаль с каймою
Ты на мне узлом стяни:
Как концы ее, с тобою
Мы сходились в эти дни.

Кто-то мне судьбу предскажет?
Кто-то завтра, сокол мой,
На груди моей развяжет
Узел, стянутый тобой?

Вспоминай, коли другая,
Друга милого любя,
Будет песни петь, играя
На коленях у тебя!

Мой костер в тумане светит;
Искры гаснут на лету...
Ночью нас никто не встретит;
Мы простимся на мосту.

1853 (?)

КОЛОКОЛЬЧИК

Улеглася метелица... путь озарен...
Ночь глядит миллионами тусклых очей...
Погружай меня в сон, колокольчика звон!
Выноси меня, тройка усталых коней!

Мутный дым облаков и холодная даль
Начинают яснеть; белый призрак луны
Смотрит в душу мою — и былую печаль
    Наряжает в забытые сны.

То вдруг слышится мне — страстный голос поет,
    С колокольчиком дружно звеня:
«Ах, когда-то, когда-то мой милый придет —
    Отдохнуть на груди у меня!

У меня ли не жизнь!.. чуть заря на стекле
Начинает лучами с морозом играть,
Самовар мой кипит на дубовом столе,
И трещит моя печь, озаряя в угле,
    За цветной занавеской кровать!..

У меня ли не жизнь!.. ночью ль ставень открыт,
По стене бродит месяца луч золотой,
Забушует ли вьюга — лампада горит,
И, когда я дремлю, мое сердце не спит
    Все по нем изнывая тоской».

То вдруг слышится мне, тот же голос поет,
    С колокольчиком грустно звеня:
«Где-то старый мой друг?.. Я боюсь, он войдет
    И, ласкаясь, обнимет меня!

Что за жизнь у меня! и тесна, и темна,
И скучна моя горница; дует в окно.
За окошком растет только вишня одна,
Да и та за промерзлым стеклом не видна
    И, быть может, погибла давно!..

Что за жизнь!.. полинял пестрый полога цвет,
Я больная брожу и не еду к родным,
Побранить меня некому — милого нет,
Лишь старуха ворчит, как приходит сосед,
    Оттого, что мне весело с ним!..»

1854

УТРАТА

    Когда предчувствием разлуки
    Мне грустно голос ваш звучал,
    Когда, смеясь, я ваши руки
    В моих руках отогревал,
    Когда дорога яркой далью
    Меня манила из глуши —
    Я вашей тайною печалью
    Гордился в глубине души.

    Перед непризнанной любовью
    Я весел был в прощальный час,
    Но — боже мой! с какою болью
    В душе очнулся я без вас!

Какими тягостными снами
Томит, смущая мой покой,
Все недосказанное вами
И недослушанное мной!

Напрасно голос ваш приветный
Звучал мне, как далекий звон,
Из-за пучины: путь заветный
Мне к вам навеки прегражден,—
Забудь же, сердце, образ бледный,
Мелькнувший в памяти твоей,
И вновь у жизни, чувством бедной,
Ищи подобья прежних дней!

1857

* * *

Я читаю книгу песен,
«Рай любви — змея любовь» —
Ничего не понимаю —
Перечитываю вновь.

Что со мной! — с невольным страхом
В душу крадется тоска...
Словно книгу заслонила
Чья-то мертвая рука —

Словно чья-то тень поникла
За плечом — и в тишине
Тихо плачет — тихо дышит
И дышать мешает мне.

Словно эту книгу песен
Прочитать хотят со мной
Потухающие очи
С накипевшею слезой.

1 марта 1861

ПОЦЕЛУЙ

И рассудок, и сердце, и память губя,
Я недаром так жарко целую тебя —
 Я целую тебя и за ту, перед кем
 Я таил мои страсти — был робок и нем,
И за ту, что меня обожгла без огня,
И смеялась, и долго терзала меня.
 И за ту, чья любовь мне была бы щитом,
 Да, убитая, спит под могильным крестом.
Все, что в сердце моем загоралось для них,
Догорая, пусть гаснет в объятьях твоих.

⟨1863⟩

* * *

Заплетя свои темные косы венцом,
Ты напомнила мне полудетским лицом
Все то счастье, которым мы грезим во сне,
Грезы детской любви ты напомнила мне.

Ты напомнила мне зноем темных очей
Лучезарные тени восточных ночей —
Мрак цветущих садов — бледный лик при луне,—
Бури первых страстей ты напомнила мне.

Ты напомнила мне много милых теней
Простотой, темным цветом одежды твоей.
И могилу, и слезы, и бред в тишине
Одиноких ночей ты напомнила мне.

Все, что в жизни с улыбкой навстречу мне шло,
Все, что время навек от меня унесло,
Все, что гибло, и все, что стремилось любить,—
Ты напомнила мне. — Помоги позабыть!

14 сентября 1864

ЦАРЬ-ДЕВИЦА

В дни ребячества я помню
Чудный отроческий бред:
Полюбил я царь-девицу,
Что на свете краше нет.

На челе сияло солнце,
Месяц прятался в косе,
По косицам рдели звезды,—
Бог сиял в ее красе.

И жила та царь-девица,
Недоступна никому,
И ключами золотыми
Замыкалась в терему.

Только ночью выходила
Шелестить в тени берез:
То ключи свои роняла,
То роняла капли слез...

Только в праздники, когда я,
Полусонный, брел домой,—
Из-за рощи яркий, влажный
Глаз ее следил за мной.

И уж как случилось это,—
Наяву или во сне?! —
Раз она весной, в час утра,
Зарумянилась в окне:

Всколыхнулась занавеска,
Вспыхнул роз махровый куст,
И, закрыв глаза, я встретил
Поцелуй душистых уст.

Но едва-едва успел я
Блеск лица ее поймать,
Ускользая, гостья ко лбу
Мне прижгла свою печать.

С той поры ее печати
Мне ничем уже не смыть,
Вечно юной царь-девице
Я не в силах изменить...

Жду,— вторичным поцелуем
Заградив мои уста,—
Красота в свой тайный терем
Мне отворит ворота...

1876

АФАНАСИЙ АФАНАСЬЕВИЧ ФЕТ

1820—1892

* * *

Не отходи от меня,
Друг мой, останься со мной.
Не отходи от меня:
Мне так отрадно с тобой...

Ближе друг к другу, чем мы, —
Ближе нельзя нам и быть;
Чище, живее, сильней
Мы не умеем любить.

Если же ты — предо мной,
Грустно головку склоня, —
Мне так отрадно с тобой:
Не отходи от меня!

1842

* * *

На заре ты ее не буди,
На заре она сладко так спит;
Утро дышит у ней на груди,
Ярко пышет на ямках ланит.

И подушка ее горяча,
И горяч утомительный сон,
И, чернеясь, бегут на плеча
Косы лентой с обеих сторон.

А вчера у окна ввечеру
Долго, долго сидела она
И следила по тучам игру,
Что скользя затевала луна.

И чем ярче играла луна,
И чем громче свистал соловей,
Все бледней становилась она,
Сердце билось больней и больней.

Оттого-то на юной груди,
На ланитах так утро горит.
Не буди ж ты ее, не буди,
На заре она сладко так спит!

⟨1842⟩

* * *

Я пришел к тебе с приветом,
Рассказать, что солнце встало,
Что оно горячим светом
По листам затрепетало;

Рассказать, что лес проснулся,
Весь проснулся, веткой каждой,
Каждой птицей встрепенулся
И весенней полон жаждой;

Рассказать, что с той же страстью,
Как вчера, пришел я снова,
Что душа все так же счастью
И тебе служить готова;

Рассказать, что отовсюду
На меня весельем веет,
Что не знаю сам, что буду
Петь — но только песня зреет.

⟨1843⟩

* * *

О, долго буду я, в молчаньи ночи тайной,
Коварный лепет твой, улыбку, взор случайный,
Перстам послушную волос густую прядь
Из мыслей изгонять и снова призывать;

Дыша порывисто, один, никем не зримый,
Досады и стыда румянами палимый,
Искать хотя одной загадочной черты
В словах, которые произносила ты;
Шептать и поправлять былые выраженья
Речей моих с тобой, исполненных смущенья,
И в опьянении, наперекор уму,
Заветным именем будить ночную тьму.

⟨1844⟩

* * *

Шепот, робкое дыханье,
    Трели соловья,
Серебро и колыханье
    Сонного ручья.

Свет ночной, ночные тени,
    Тени без конца.
Ряд волшебных изменений
    Милого лица.

В дымных тучках пурпур розы,
    Отблеск янтаря,
И лобзания, и слезы,
    И заря, заря!..

⟨1850⟩

* * *

Какие-то носятся звуки
И льнут к моему изголовью.
Полны они томной разлуки,
Дрожат небывалой любовью...

Казалось бы, что ж? Отзвучала
Последняя нежная ласка,
По улице пыль пробежала,
Почтовая скрылась коляска...

И только... Но песня разлуки
Несбыточной дразнит любовью,
И носятся светлые звуки,
И льнут к моему изголовью...

⟨1853⟩

* * *

Какое счастие: и ночь, и мы одни!
Река — как зеркало, и вся блестит звездами;
А там-то... голову закинь-ка да взгляни:
Какая глубина и чистота над нами!

О, называй меня безумным! Назови
Чем хочешь; в этот миг я разумом слабею
И в сердце чувствую такой прилив любви,
Что не могу молчать, не стану, не умею!

Я болен, я влюблен; но, мучась и любя, —
О, слушай! о пойми! — я страсти не скрываю,
И я хочу сказать, что я люблю тебя —
Тебя, одну тебя люблю я и желаю!

⟨1854⟩

СТАРЫЕ ПИСЬМА

Давно забытые, под легким слоем пыли,
Черты заветные, вы вновь передо мной
И в час душевных мук мгновенно воскресили
Все, что давно-давно утрачено душой.

Горя огнем стыда, опять встречают взоры
Одну доверчивость, надежду и любовь,
И задушевных слов поблекшие узоры
От сердца моего к ланитам гонят кровь.

Я вами осужден, свидетели немые
Весны души моей и сумрачной зимы.
Вы те же светлые, святые, молодые,
Как в тот ужасный час, когда прощались мы.

А я доверился предательскому звуку, —
Как будто вне любви есть в мире что-нибудь! —
Я дерзко оттолкнул писавшую вас руку,
Я осудил себя на вечную разлуку
И с холодом в груди пустился в дальний путь.

Зачем же с прежнею улыбкой умиленья
Шептать мне о любви, глядеть в мои глаза?
Души не воскресит и голос всепрощенья,
Не смоет этих строк и жгучая слеза.

⟨1859 (?)⟩

* * *

Только встречу улыбку твою
Или взгляд уловлю твой отрадный, —
Не тебе песнь любви я пою,
А твоей красоте ненаглядной.

Про певца по зарям говорят,
Будто розу влюбленною трелью
Восхвалять неумолчно он рад
Над душистой ее колыбелью.

Но безмолвствует, пышно-чиста,
Молодая владычица сада:
Только песне нужна красота,
Красоте же и песен не надо.

⟨1873⟩

* * *

Сияла ночь. Луной был полон сад. Лежали
Лучи у наших ног в гостиной без огней.
Рояль был весь раскрыт, и струны в нем дрожали,
Как и сердца у нас за песнию твоей.

Ты пела до зари, в слезах изнемогая,
Что ты одна — любовь, что нет любви иной,
И так хотелось жить, чтоб, звука не роняя,
Тебя любить, обнять и плакать над тобой.

И много лет прошло, томительных и скучных,
И вот в тиши ночной твой голос слышу вновь,
И вееет, как тогда, во вздохах этих звучных,
Что ты одна — вся жизнь, что ты одна — любовь.

Что нет обид судьбы и сердца жгучей муки,
А жизни нет конца, и цели нет иной,
Как только веровать в рыдающие звуки,
Тебя любить, обнять и плакать над тобой!

2 августа 1877

* * *

Я тебе ничего не скажу,
Я тебя не встревожу ничуть,
И о том, что, я молча твержу,
Не решусь ни за что намекнуть.

Целый день спят ночные цветы,
Но лишь солнце за рощу зайдет,
Раскрываются тихо листы,
И я слышу, как сердце цветет.

И в больную усталую грудь
Веет влагой ночной... я дрожу.
Я тебя не встревожу ничуть,
Я тебе ничего не скажу.

2 сентября 1885

* * *

Солнца луч промеж лип был и жгуч и высок,
Пред скамьей ты чертила блестящий песок,
Я мечтам золотым отдавался вполне, —
Ничего ты на все не ответила мне.

Я давно угадал, что мне сердцем родня,
Что ты счастье свое отдала за меня,
Я рвался, я твердил о не нашей вине, —
Ничего ты на все не ответила мне.

Я молил, повторял, что нельзя нам любить,
Что минувшие дни мы должны позабыть,
Что в грядущем цветут все права красоты, —
Мне и тут ничего не ответила ты.

С опочившей я глаз был не в силах отвесть, —
Всю погасшую тайну хотел я прочесть.
И лица твоего мне простили ль черты? —
Ничего, ничего не ответила ты!

⟨1885⟩

* * *

Долго снились мне вопли рыданий твоих, —
То был голос обиды, бессилия плач;
Долго, долго мне снился тот радостный миг,
Как тебя умолил я — несчастный палач.

Проходили года, мы умели любить,
Расцветала улыбка, грустила печаль;
Проносились года, — и пришлось уходить:
Уносило меня в неизвестную даль.

Подала ты мне руку, спросила: «Идешь?»
Чуть в глазах я заметил две капельки слез;
Эти искры в глазах и холодную дрожь
Я в бессонные ночи навек перенес.

2 апреля 1886

* * *

Нет, я не изменил. До старости глубокой
Я тот же преданный, я раб твоей любви,
И старый яд цепей, отрадный и жестокий,
    Еще горит в моей крови.

Хоть память и твердит, что между нас могила,
Хоть каждый день бреду томительно к другой, —
Не в силах верить я, чтоб ты меня забыла,
    Когда ты здесь, передо мной.

Мелькнет ли красота иная на мгновенье,
Мне чудится, вот-вот тебя я узнаю;
И нежности былой я слышу дуновенье,
    И, содрогаясь, я пою.

2 февраля 1887

* * *

Когда читала ты мучительные строки,
Где сердца звучный пыл сиянье льет кругом
И страсти роковой вздымаются потоки, —
    Не вспомнила ль о чем?

Я верить не хочу! Когда в степи, как диво,
В полночной темноте безвременно горя,
Вдали перед тобой прозрачно и красиво
    Вставала вдруг заря.

И в эту красоту невольно взор тянуло,
В тот величавый блеск за темный весь предел, —
Ужель ничто тебе в то время не шепнуло:
    Там человек сгорел!

15 февраля 1887

АЛЕКСЕЙ МИХАЙЛОВИЧ ЖЕМЧУЖНИКОВ

1821—1908

* * *

Странно! мы почти что незнакомы —
Слова два при встречах и поклон...
А ты знаешь ли? К тебе влекомый
Сердцем, полным сладостной истомы, —
Странно думать! — я в тебя влюблен!

Чем спасусь от этой я напасти?..
Так своей покорна ты судьбе,
Так в тебе над сердцем много власти...
Я ж, безумный, думать о тебе
Не могу без боли и без страсти...

1856

НОЧНОЕ СВИДАНИЕ

В ту пору знойную, когда бывают грозы
И ночи пред дождем прохладны и теплы;
В саду бушует ветр; в аллеях, полных мглы,
Дубы качаются и мечутся березы;
И ты в шумящий сад, один, в такую ночь
Пойдешь на тайное свиданье в час условный, —
Умей обуздывать игру мечты любовной,
Старайся страстное влеченье превозмочь.
Не представляй себе, пока желанной встречи
Миг не настал еще, как трепетную грудь,
Ланиты жаркие и молодые плечи
Ты будешь лобызать свободно. Позабудь,
Как прежде их ласкал. Послушный нетерпенью,
Вслед за мелькнувшею в куртине белой тенью
Ты не спеши. Вот тень еще. Взгляни назад —
Вон пробежала тень... и там, и там... Весь сад
Наполнен по ночам тенями без названья.
В дали темнеющей послышится ли зов —
Не обращайся вспять, не напрягай вниманья...
Тот голос не ее. Здесь много голосов,
Под гнетом чуждой нам, какой-то странной грезы
Ведущих меж собой невнятный разговор
Иль порознь шепчущихся... Как страстен этот хор!
То вздохи томные послышатся, то слезы...
Вокруг тебя обман; но правда впереди.
Тебя ждет счастие, и ты спокойно жди.
И трепетом твой дух займется сладострастным,
Когда вдруг шепотом таинственным, но ясным
«Я здесь» произнесут знакомые уста;
И взгляда зоркого виденье не обманет,
Когда увидишь ты: рука из-за куста
Тебя и с робостью и с нетерпеньем манит.

1856

* * *

Если б ты видеть могла мое горе —
        Как ты жалела б меня!
Праздник встречать мне приходится вскоре
        Нашего лучшего дня...

Словно мне вести грозят роковые,
        Словно я чую беду...
Милая, как же наш праздник впервые
        Я без тебя проведу?

В день незабвенный союза с тобою —
        Счастья погибшего день —
Буду вотще моей скорбной мольбою
        Звать твою грустную тень.

Пусто мне будет. В безмолвьи глубоком
        Глухо замрет мой призыв...
Ты не потужишь о мне, одиноком,
        Нашу любовь позабыв.

Я же, томим безутешной кручиной,
        Помню, чем праздник наш был...
Жизни с тобой я черты ни единой,
        Друг мой, еще не забыл.

24 февраля 1876

АПОЛЛОН НИКОЛАЕВИЧ МАЙКОВ

1821—1897

* * *

О чем в тиши ночей таинственно мечтаю,
О чем при свете дня всечасно помышляю,
То будет тайной всем, и даже ты, мой стих,
Ты, друг мой ветреный, услада дней моих,
Тебе не передам души своей мечтанья,
А то расскажешь ты, чей глас в ночном молчаньи
Мне слышится, чей лик я всюду нахожу,
Чьи очи светят мне, чье имя я твержу.

Март 1841

* * *

Люблю, если тихо к плечу моему головой прислонившись,
С любовью ты смотришь, как, очи потупив, я думаю думу,
А ты угадать ее хочешь. Невольно, проникнут тобою,
Я очи к тебе обращу и с твоими встречаюсь очами;
И мы улыбнемся безмолвно, как будто бы в сладком молчаньи
Мы мыслью сошлися и много сказали улыбкой и взором.

⟨1842⟩

FORTUNATA[1]

Ах, люби меня без размышлений,
Без тоски, без думы роковой,
Без упреков, без пустых сомнений!
Что тут думать? Я твоя, ты мой!

Все забудь, все брось, мне весь отдайся!..
На меня так грустно не гляди!
Разгадать, что в сердце, — не пытайся!
Весь ему отдайся — и иди!

Я любви не числю и не мерю,
Нет, любовь есть вся моя душа.
Я люблю — смеюсь, клянусь и верю...
Ах, как жизнь, мой милый, хороша!..

Верь в любви, что счастью не умчаться,
Верь, как я, о гордый человек,
Что нам ввек с тобой не расставаться
И не кончить поцелуя ввек...

1845

---

[1] Счастливая (*ит.*).

* * *

Я б тебя поцеловала,
Да боюсь, увидит месяц,
Ясны звездочки увидят;
С неба звездочка скатится
И расскажет синю морю,
Сине море скажет веслам,
Весла — Яни-рыболову,
А у Яни — люба Мара;
А когда узнает Мара —
Все узнают в околотке,
Как тебя я ночью лунной
В благовонный сад впускала,
Как ласкала, целовала,
Как серебряная яблонь
Нас цветами осыпала.

⟨*1860*⟩

ПОЦЕЛУЙ

Между мраморных обломков,
Посреди сребристой пыли,
Однорукий клефтик тешет
Мрамор нежный, словно пена,
Прибиваемая морем.
Мимо девица проходит,
Златокудрая, что солнце,
Говорит: «Зачем одною

Ты работаешь рукою?
Ты куда ж девал другую?»

«Полюбилась мне девица,
Роза первая Стамбула!
Поцелуй один горячий —
И мне руку отрубили!
В свете есть еще девица,
Златокудрая, что солнце...
Поцелуй один бы только —
И руби другую руку!»

⟨1860⟩

* * *

Точно голубь светлою весною,
Ты веселья нежного полна,
В первый раз, быть может, всей душою
Долго сжатой страсти предана...

И меж тем, как музыкою счастья
Упоен, хочу я в тишине
Этот миг, как луч среди ненастья,
Охватить душой своей вполне.

И молчу, чтоб не терять ни звука,
Что дрожат в сердцах у нас с тобой, —
Вижу вдруг — ты смолкла, в сердце мука,
И слеза струится за слезой.

На мольбы сказать мне, что проникло
В грудь твою, чем сердце сражено,
Говоришь: ты к счастью не привыкла
И страшит тебя — к добру ль оно?..

Ну, так что ж? Пусть снова идут грозы!
Солнце вновь вослед проглянет им,
И тогда страдания и слезы
Мы опять душой благословим.

1855

НИКОЛАЙ АЛЕКСЕЕВИЧ НЕКРАСОВ

1821—1877/78

* * *

Когда из мрака заблужденья
Горячим словом убежденья
Я душу падшую извлек,
И, вся полна глубокой муки,
Ты прокляла, ломая руки,
Тебя опутавший порок;

Когда забывчивую совесть
Воспоминанием казня,
Ты мне передавала повесть
Всего, что было до меня;

И вдруг, закрыв лицо руками,
Стыдом и ужасом полна,
Ты разрешилася слезами,
Возмущена, потрясена, —

Верь: я внимал не без участья,
Я жадно каждый звук ловил...
Я понял все, дитя несчастья!
Я все простил и все забыл.

Зачем же тайному сомненью
Ты ежечасно предана?
Толпы бессмысленному мненью
Ужель и ты покорена?

Не верь толпе — пустой и лживой,
Забудь сомнения свои,
В душе болезненно-пугливой
Гнетущей мысли не таи!

Грустя напрасно и бесплодно,
Не пригревай змеи в груди
И в дом мой смело и свободно
Хозяйкой полною войди!

1845

ТРОЙКА

Что ты жадно глядишь на дорогу
В стороне от веселых подруг?
Знать, забило сердечко тревогу —
Все лицо твое вспыхнуло вдруг.

И зачем ты бежишь торопливо
За промчавшейся тройкой вослед?..
На тебя, подбоченясь красиво,
Загляделся проезжий корнет.

На тебя заглядеться не диво,
Полюбить тебя всякий не прочь:
Вьется алая лента игриво
В волосах твоих, черных как ночь;

Сквозь румянец щеки твоей смуглой
Пробивается легкий пушок,
Из-под брови твоей полукруглой
Смотрит бойко лукавый глазок.

Взгляд один чернобровой дикарки,
Полный чар, зажигающих кровь,
Старика разорит на подарки,
В сердце юноши кинет любовь.

Поживешь и попразднуешь вволю,
Будет жизнь и полна и легка...
Да не то тебе пало на долю:
За неряху пойдешь мужика.

Завязавши под мышки передник,
Перетянешь уродливо грудь,
Будет бить тебя муж-привередник
И свекровь в три погибели гнуть.

От работы и черной и трудной
Отцветешь, не успевши расцвесть,
Погрузишься ты в сон непробудный,
Будешь нянчить, работать и есть.

И в лице твоем, полном движенья,
Полном жизни, — появится вдруг
Выраженье тупого терпенья
И бессмысленный, вечный испуг.

И схоронят в сырую могилу,
Как пройдешь ты тяжелый свой путь,
Бесполезно угасшую силу
И ничем не согретую грудь.

Не гляди же с тоской на дорогу
И за тройкой вослед не спеши,
И тоскливую в сердце тревогу
Поскорей навсегда заглуши!

Не нагнать тебе бешеной тройки:
Кони крепки, и сыты, и бойки, —
И ямщик под хмельком, и к другой
Мчится вихрем корнет молодой...

1846

* * *

Ты всегда хороша несравненно,
Но когда я уныл и угрюм,
Оживляется так вдохновенно
Твой веселый, насмешливый ум;

Ты хохочешь так бойко и мило,
Так врагов моих глупых бранишь,
То, понурив головку уныло,
Так лукаво меня ты смешишь;

Так добра ты, скупая на ласки,
Поцелуй твой так полон огня,
И твои ненаглядные глазки
Так голубят и гладят меня, —

Что с тобой настоящее горе
Я разумно и кротко сношу
И вперед — в это темное море —
Без обычного страха гляжу...

1847

* * *

Да, наша жизнь текла мятежно,
Полна тревог, полна утрат,
Расстаться было неизбежно —
И за тебя теперь я рад!
Но с той поры как все кругом меня пустынно!
Отдаться не могу с любовью ничему,
И жизнь скучна, и время длинно,
И холоден я к делу своему.
Не знал бы я, зачем встаю с постели,
Когда б не мысль: авось и прилетели
Сегодня наконец заветные листы,
В которых мне расскажешь ты:
Здорова ли? что думаешь? легко ли
Под дальним небом дышится тебе,
Грустишь ли ты, жалея прежней доли,
Охотно ль повинуешься судьбе?

Желал бы я, чтоб сонное забвенье
На долгий срок мне на душу сошло,
   Когда б мое воображенье
   Блуждать в прошедшем не могло...

Прошедшее! его волшебной власти
   Покорствуя, переживаю вновь
   И первое движенье страсти,
   Так бурно взволновавшей кровь,
И долгую борьбу с самим собою,
   И не убитую борьбою,
Но с каждым днем сильней кипевшую любовь.
   Как долго ты была сурова,
   Как ты хотела верить мне,
И как и верила, и колебалась снова,
   И как поверила вполне!
(Счастливый день! Его я отличаю
В семье обыкновенных дней;
С него я жизнь мою считаю,
Я праздную его в душе моей!)
Я вспомнил все... одним воспоминаньем,
   Одним прошедшим я живу —
И то, что в нем казалось нам страданьем, —
И то теперь я счастием зову...

А ты?.. ты так же ли печали предана?..
И так же ли в одни воспоминанья
   Средь добровольного изгнанья
   Твоя душа погружена?
Иль новая роскошная природа,
И жизнь кипящая, и полная свобода
   Тебя невольно увлекли?
   И позабыла ты вдали
Все, чем мучительно и сладко так порою
   Мы были счастливы с тобою?

Скажи! я должен знать... Как странно я люблю!
   Я счастия тебе желаю и молю,
Но мысль, что и тебя гнетет тоска разлуки,
   Души моей смягчает муки...

1850

* * *

Я не люблю иронии твоей.
Оставь ее отжившим и не жившим,
А нам с тобой, так горячо любившим,
Еще остаток чувства сохранившим, —
Нам рано предаваться ей!

Пока еще застенчиво и нежно
Свидание продлить желаешь ты,
Пока еще кипят во мне мятежно
Ревнивые тревоги и мечты —
Не торопи развязки неизбежной!

И без того она не далека:
Кипим сильней, последней жаждой полны,
Но в сердце тайный холод и тоска...
Так осенью бурливее река,
Но холодней бушующие волны...

1850

* * *

Мы с тобой бестолковые люди:
Что минута, то вспышка готова!
Облегченье взволнованной груди,
Неразумное, резкое слово.

Говори же, когда ты сердита,
Все, что душу волнует и мучит!
Будем, друг мой, сердиться открыто:
Легче мир, и скорее наскучит.

Если проза в любви неизбежна,
Так возьмем и с нее долю счастья:
После ссоры так полно, так нежно
Возвращенье любви и участья...

1851

* * *

О письма женщины, нам милой!
От вас восторгам нет числа,
Но в будущем душе унылой
Готовите вы больше зла.
Когда погаснет пламя страсти
Или послушаетесь вы
Благоразумья строгой власти
И чувству скажете: увы! —

Отдайте ей ее посланья
Иль не читайте их потом,
А то нет хуже наказанья,
Как задним горевать числом.
Начнешь с усмешкою ленивой,
Как бред невинный и пустой,
А кончишь злобою ревнивой
Или мучительной тоской...

О ты, чьих писем много, много
В моем портфеле берегу!
Подчас на них гляжу я строго,
Но бросить в печку не могу.
Пускай мне время доказало,
Что правды в них и проку мало,
Как в праздном лепете детей,
Но и теперь они мне милы —
Поблекшие цветы с могилы
Погибшей юности моей!

1852

* * *

Давно — отвергнутый тобою,
Я шел по этим берегам
И, полон думой роковою,
Мгновенно кинулся к волнам.
Они приветливо яснели.

На край обрыва я ступил —
Вдруг волны грозно потемнели,
И страх меня остановил!
Поздней — любви и счастья полны,
Ходили часто мы сюда,
И ты благословляла волны,
Меня отвергшие тогда.
Теперь — один, забыт тобою,
Чрез много роковых годов,
Брожу с убитою душою
Опять у этих берегов.
И та же мысль приходит снова —
И на обрыве я стою,
Но волны не грозят сурово,
А манят в глубину свою...

1855

* * *

Тяжелый крест достался ей на долю:
Страдай, молчи, притворствуй и не плачь;
Кому и страсть, и молодость, и волю —
Все отдала, — тот стал ее палач!

Давно ни с кем она не знает встречи;
Угнетена, пуглива и грустна,
Безумные, язвительные речи
Безропотно выслушивать должна:

«Не говори, что молодость сгубила
Ты, ревностью истерзана моей;
Не говори!.. близка моя могила,
А ты цветка весеннего свежей!

Тот день, когда меня ты полюбила
И от меня услышала: люблю —
Не проклинай! близка моя могила:
Поправлю все, все смертью искуплю!

Не говори, что дни твои унылы,
Тюремщиком больного не зови:
Передо мной — холодный мрак могилы,
Перед тобой — объятия любви!

Я знаю: ты другого полюбила,
Щадить и ждать наскучило тебе...
О, погоди! близка моя могила —
Начатое и кончить дай судьбе!..»

Ужасные, убийственные звуки!..
Как статуя прекрасна и бледна,
Она молчит, свои ломая руки...
И что сказать могла б ему она?..

1855

ПРОЩАНЬЕ

Мы разошлись на полпути,
Мы разлучились до разлуки
И думали: не будет муки
В последнем роковом «прости»,
Но даже плакать нету силы.
Пиши — прошу я одного...
Мне эти письма будут милы
И святы, как цветы с могилы, —
С могилы сердца моего!

1856

ПРОСТИ

Прости! Не помни дней паденья,
Тоски, унынья, озлобленья, —
Не помни бурь, не помни слез,
Не помни ревности угроз!

Но дни, когда любви светило
Над нами ласково всходило
И бодро мы свершали путь, —
Благослови и не забудь!

1856

* * *

Ни стыда, ни состраданья,
Кудри в мелких завитках,
Стан, волнующийся гибко,
И на чувственных губах
Сладострастная улыбка.

1876

НИКОЛАЙ ФЕДОРОВИЧ ЩЕРБИНА

1821—1869

ПИСЬМО

Письмо лежит передо мною;
Его коснуться не могу;
Я с сожаленьем и тоскою,
Не прочитав, его сожгу...

Зачем читать!.. Ведь я вас знаю,
Ведь сердца мне не пробудить...
Поверьте, временно любить
Я не могу и не желаю!
Давно не верю я в блаженство:
На бедном жизненном пути
Не отыскать мне совершенства,
Души родной мне не найти!

Я уж давно не лицемерил,
И жизнь с мечтами примирил;
Любовь я женскую изверил:
Я без страданья не любил!

Прощайте, более ни слова...
Я с сердцем не привык шутить,
Вам полюбить легко другого,
Но тяжело мне разлюбить!

⟨1844⟩

В ДЕРЕВНЕ

Как-то привольней дышать мне под этим живительным небом,
 Как-то мне лучше живется в тиши деревенской:
Гаснут мечты честолюбья, тревожные сны улетают;
 Мыслей о будущем нет, — настоящим я полон.
Будто младенец, прильнул я к широкому лону природы,
 С нею живу, ее тайным веленьям послушный:
Музам я утро свое посвящаю, вставая с Авророй;
 Знойного полдня часы провожу под наметом
Темнопрохладных дерев, и на ложе забывчивой неги
 Сладко дремлю я, вкусивши здоровых и сытных
Блюд деревенских, облитых крепительной влагою Вакха,
 Ночью я весь отдаюсь Афродите-богине:
Полною чашей восторги любви испиваю во мраке;
 Тонут уста мои в жарких устах Левконои,
Руки по мрамору тела скользят, красоты ощущая
 Гибкого стана и груди упругой и полной.

1847

ЖЕНЩИНЕ

Как над тобою посмеялась
Твоя жестокая судьба!
Какая жизнь в удел досталась
Тебе, царица и раба!

Ты стала средь мгновенной власти,
Мишурным блеском облитой,
Игрушкою нужды и страсти,
Не человеком, не женой...

И, на коленях пред тобою,
Страдая, плача и любя,
Мужчина с жаркою мольбою
Цепями путает тебя.

Свое призванье ты забыла
Для грез дремоты вековой,
И новая, живая сила
У мира отнята с тобой.

Пред всякой ложью и тщетою,
Как пред кумиром, пала ты,
И пустоцветною красою
Взросла на почве суеты.

Твое святое назначенье —
Наш гений из пелен приять,
Направить душу поколенья,
Отчизне граждан воспитать...

И струн в тебе сокрыто много:
Под райской музыкою их
Нам облегчилась бы дорога
В тяжелых странствиях земных.

Ты сердца чуткого прозреньем
Те правды можешь угадать,
Которых нам ни размышленьем,
Ни долгой жизнью не дознать...

Я верю, что настанет время
Тебе вознесться меж людей
И сбросить вековое бремя
С судьбы таинственной своей, —

И новой мыслью, новой страстью,
Огнем, любовью, красотой
Подвинуть мир в путях ко счастью
И взволновать его застой.

1848

АПОЛЛОН АЛЕКСАНДРОВИЧ ГРИГОРЬЕВ

1822—1864

* * *

Над тобою мне тайная сила дана,
 Это — сила звезды роковой.
Есть преданье — сама ты преданий полна —
 Так послушай: бывает порой,
В небесах загорится, средь сонма светил,
 Небывалое вдруг иногда,
И гореть ему ярко господь присудил —
 Но падучая это звезда...
И сама ли нечистым огнем сожжена,
 Или, звездному кругу чужда,
Серафимами свержена с неба она, —
 Рассыпается прахом звезда;
И дано, говорят, той печальной звезде
 Искушенье посеять одно,
Да лукавые сны, да страданье везде,
 Где рассыпаться ей суждено.

Над тобою мне тайная сила дана,
 Эту силу я знаю давно:

Так уносит в безбрежное море волна
         За собой из залива судно́,
Так, от дерева лист оторвавши, гроза
         В вихре пыли его закружит,
И, с участьем следя, не увидят глаза,
         Где кружится, куда он летит...
Над тобою мне тайная сила дана,
         И тебя мне увлечь суждено,
И пускай ты горда, и пускай ты скрытна, —
         Эту силу я понял давно.

Август 1843

⟨ИЗ ЦИКЛА «БОРЬБА»⟩

* * *

Я ее не люблю, не люблю...
    Это — сила привычки случайной!
    Но зачем же с тревогою тайной
На нее я смотрю, ее речи ловлю?

Что мне в них, в простодушных речах
    Тихой девочки с женской улыбкой?
Что в задумчиво-робко смотрящих очах
    Этой тени воздушной и гибкой?

Отчего же — и сам не пойму —
Мне при ней как-то сладко и больно,

Отчего трепещу я невольно,
Если руку ее на прощанье пожму?

Отчего на прозрачный румянец ланит
Я порою гляжу с непонятною злостью
И боюсь за воздушную гостью,
Что, как призрак, она улетит.

И спешу насмотреться, и жадно ловлю
Мелодически-милые, детские речи;
Отчего я боюся и жду с нею встречи?..
Ведь ее не люблю я, клянусь, не люблю.

⟨1853, 1857⟩

* * *

О, говори хоть ты со мной,
   Подруга семиструнная!
Душа полна такой тоской,
   А ночь такая лунная!

Вон там звезда одна горит
   Так ярко и мучительно,
Лучами сердце шевелит,
   Дразня его язвительно.

Чего от сердца нужно ей?
   Ведь знает без того она,
Что к ней тоскою долгих дней
   Вся жизнь моя прикована...

И сердце ведает мое,
   Отравою облитое,
Что впитывал в себя ее
   Дыханье ядовитое...

Я от зари и до зари
        Тоскую, мучусь, сетую...
Допой же мне — договори
        Ты песню недопетую.

Договори сестры твоей
        Все недомолвки странные...
Смотри: звезда горит ярчей...
        О, пой, моя желанная!

И до зари готов с тобой
        Вести беседу эту я...
Договори лишь мне, допой
        Ты песню недопетую!

⟨1857⟩

⟨ИЗ «ИМПРОВИЗАЦИЙ
СТРАНСТВУЮЩЕГО РОМАНТИКА»⟩

* * *

Твои движенья гибкие,
Твои кошачьи ласки,
То гневом, то улыбкою
Сверкающие глазки...
То лень в тебе небрежная,
То — прыг! поди лови!
И дышит речь мятежная
Всей жаждою любви.

Тревожная загадочность
И ледяная чинность,

То страсти лихорадочность,
То детская невинность,
То мягкий и ласкающий
Взгляд бархатных очей,
То холод ужасающий
Язвительных речей.

Любить тебя — мучение,
А не любить — так вдвое...
Капризное творение,
Я полон весь тобою.
Мятежная и странная —
Морская ты волна,
Но ты, моя желанная,
Ты киской создана.

И пусть под нежной лапкою
Кошачьи когти скрыты —
А все ж тебя в охапку я
Схватил бы, хоть пищи ты...
Что хочешь, делай ты со мной,
Царапай лапкой больно,
У ног твоих я твой, я твой —
Ты киска — и довольно.

Готов я все мучения
Терпеть, как в стары годы,
От гибкого творения
Из кошачьей породы.
Пусть вечно когти разгляжу,
Лишь подойду я близко.
Я по тебе с ума схожу,
Прелестный друг мой — киска!

6 февраля 1858
Città dei Fiori

ЛЕВ АЛЕКСАНДРОВИЧ МЕЙ

1822—1862

* * *

Не знаю, отчего так грустно мне при ней?
Я не влюблен в нее: кто любит, тот тоскует,
Он болен, изнурен любовию своей.
Он день и ночь в огне — он плачет и ревнует...
Я не влюблен... при ней бывает грустно мне —
И только... Отчего   не знаю. Оттого ли,
Что дума и у ней такой же просит воли,
Что сердце и у ней в таком же дремлет сне?
Иль от предчувствия, что некогда напрасно,
Но пылко мне ее придется полюбить?
Бог весть! А полюбить я не хотел бы страстно:
Мне лучше нравится — по-своему грустить.
Взгляните, вот она: небрежно локон вьется,
Спокойно дышит грудь, ясна лазурь очей —
Она так хороша, так весело смеется...
Не знаю, отчего так грустно мне при ней?

1844

ТЫ ПЕЧАЛЬНА

Кому-то

Ты печальна, ты тоскуешь,
Ты в слезах, моя краса!
А слыхала ль в старой песне:
«Слезы девичьи — роса»?

Поутру на поле пала,
А к полудню нет следа...
Так и слезы молодые
Улетают навсегда.
Словно росы полевые —
Знает бог один — куда.

Развевает их и сушит
Жарким пламенем в крови
Вихорь юности мятежной,
Солнце красное любви.

30 июля 1857
С. Кораллово

* * *

⟨*Из Г. Гейне*⟩

Хотел бы в единое слово
Я слить мою грусть и печаль,
И бросить то слово на ветер,
Чтоб ветер унес его вдаль.

И пусть бы то слово печали
По ветру к тебе донеслось,
И пусть бы всегда и повсюду
Оно к тебе в сердце лилось!

И если б усталые очи
Сомкнулись под грезой ночной,
О, пусть бы то слово печали
Звучало во сне над тобой!

⟨*1859*⟩

ЗАЧЕМ?

Зачем ты мне приснилася,
Красавица далекая,
И вспыхнула, что в полыме,
Подушка одинокая?

Ох, сгинь ты, полуночница!
Глаза твои ленивые,
И пепел кос рассыпчатый,
И губы горделивые —

Все наяву мне снилося,
И все, что греза вешняя,

Умчалося, — и нá сердце
Легла потьма кромешная...

Зачем же ты приснилася,
Красавица далекая,
Коль стынет вместе с грезою
Подушка одинокая?..

⟨*1861*⟩

АЛЕКСАНДР ИВАНОВИЧ ПАЛЬМ
1822—1885

* * *

Напрасно прозрачные глазки твои
Твердят о блаженстве любви.
Заглохшее сердце, молю, не тревожь —
В нем звуков былых не найдешь...

Пустые желанья и грезы страстей
Души не волнуют моей.
Испытан иною тяжелой борьбой
С моей безотрадной судьбой.

Забыл я порывы к немым небесам,
К воздушным и светлым мечтам...
Но память про вольную юность мою,
Как грустную тайну, люблю.

ЮЛИЯ ВАЛЕРИАНОВНА ЖАДОВСКАЯ

1824—1883

* * *

Ты скоро меня позабудешь,
Но я не забуду тебя;
Ты в жизни разлюбишь, полюбишь,
А я — никого, никогда!
Ты новые лица увидишь
И новых друзей изберешь;
Ты новые чувства узнаешь
И, может быть, счастье найдешь.
Я — тихо и грустно свершаю,
Без радостей, жизненный путь;
И как я люблю и страдаю —
Узнает могила одна!

1844

* * *

Я все еще его, безумная, люблю!
При имени его душа моя трепещет;
Тоска по-прежнему сжимает грудь мою,
И взор горячею слезой невольно блещет.

Я все еще его, безумная, люблю!
Отрада тихая мне душу проникает,
И радость ясная на сердце низлетает,
Когда я за него создателя молю.

1846

ВЗГЛЯД

Я помню взгляд, мне не забыть тот взгляд! —
Он предо мной горит неотразимо:
В нем счастья блеск, в нем чудной страсти яд,
Огонь тоски, любви невыразимой.
Он душу мне так сильно волновал,
Он новых чувств родил во мне так много,
Он сердце мне надолго оковал
Неведомой и сладостной тревогой!

1847

* * *

Любви не может быть меж нами:
Ее мы оба далеки;
Зачем же взглядами, речами
Ты льешь мне в сердце яд тоски?

Зачем тревогою, заботой
С тобой полна душа моя?
Да, есть в тебе такое что-то,
Чего забыть не в силах я;

Что в день печали, в день разлуки
В душе откликнется не раз,
И старые пробудит муки,
И слезы вызовет из глаз.

1848

ИВАН САВВИЧ НИКИТИН

1824—1861

* * *

Как мне легко, как счастлив я в тот миг,
Когда, мой друг, речам твоим внимаю
И кроткую любовь в очах твоих,
Задумчивый, внимательно читаю!
Тогда молчит тоска в моей груди
И нет в уме холодной укоризны.
Не правда ли, мгновения любви
Есть лучшие мгновенья нашей жизни!
Зато, когда один я остаюсь
И о судьбе грядущей размышляю,
Как глубоко я грусти предаюсь,
Как много слез безмолвно проливаю!

1850

* * *

Не повторяй холодной укоризны:
Не суждено тебе меня любить.
Беспечный мир твоей невинной жизни
Я не хочу безжалостно сгубить.
Тебе ль, с младенчества не знавшей огорчений,
Со мною об руку идти одним путем,
Глядеть на зло и грязь и гаснуть за трудом,
И плакать, может быть, под бременем лишений,
Страдать не день, не два — всю жизнь свою страдать!..
Но где ж на это сил, где воли нужно взять?
И что тебе в тот час скажу я в оправданье,
Когда, убитая и горем и тоской,
Упреком мне и горькою слезой
Ответишь ты на ласки и лобзанье?
Слезы твоей себе не мог бы я простить...
Но кто ж меня бесчувствию научит
И, наконец, заставит позабыть
Все, что меня и радует и мучит,
Что для меня, под холодом забот,
Под гнетом нужд, печали и сомнений, —
Единая отрада и оплот,
Источник дум, надежд и песнопений?..

1853

* * *

Уж не я ли тебя, милая, упрашивал,
Честью, ласкою, как друга, уговаривал:
«Позабудь меня — ты после будешь счастлива,
Обвенчают нас — ты вспомнишь волю девичью.

У меня зимой в избушке сыро, холодно,
Мать-старуха привередлива, причудлива,
Сестры злы, а я головушка разгульная,
Много горя ты со мною понатерпишься».

Ты не верила, сквозь слезы улыбалася,
Улыбаясь, обняла меня и молвила:
«Не покинь меня, надежа, все я вынесу,
При тебе и злое горе будет радостью...»

Уж на что ж теперь ты поздно стала каяться,
На свекровь и на золовок горько плакаться?
Не они тоски-кручины тебе придали —
Что трава от ветра, от меня ты высохла.

Разлюбил я друга, как — и сам не ведаю!
Ноет мое сердце, разума не слушает:
О тебе печалюсь, об иной я думаю,
Ты вся сокрушилась, — весь и я измучился!

1854, январь 1855

* * *

Пошутила я — и другу слово молвила:
«Не ходи ты темной ночью в наш зеленый сад:
Молодой сосед догадлив, он дознается,
Быль и нéбыль станет всем про нас рассказывать».

Милый друг мой, что ненастный день, нахмурился,
Не подумал и ответил мне с усмешкою:
«Не молвы людской боишься ты, изменница,
Верно, видеться со мною тебе нé любо».

Вот неделя — моя радость не является,
Засыпаю — мне во сне он, сокол, видится,
Просыпаюсь — мне походка его чудится,
Вспомню речь его — все сердце разрывается.

Для чего же меня, друг мой, ты обманывал,
Называл душою, дорогою радостью?
Покидая радость, ты слезы не выронил
И с душой расстался, что с заботой скучною.

Не виню я друга, на себя и плачуся:
Уж зачем его я слушала, лелеяла?
Полюбить умела лучше милой матери,
Позабыть нет сил, разлюбить — нет разума.

19 января 1855

* * *

Чуть сошлись мы — друг друга узнали.
Ваши речи мне в душу запали,
Но, увы! не услышать мне их,
Не услышать мне звуков родных.

Не помочь, видно, горю словами!
На мгновенье я встретился с вами,
Расстаюсь навсегда, навсегда:
Унесетесь вы бог весть куда!

Вот как жизнь иногда бестолкова!
Вот как доля глупа и сурова!
Уж как ляжет она на плечах —
Белый свет помутится в глазах!

Май (?) 1856

АЛЕКСЕЙ НИКОЛАЕВИЧ ПЛЕЩЕЕВ

1825—1893

ЗВУКИ

Не умолкай, не умолкай!
Отрадны сердцу эти звуки,
Хоть на единый миг пускай
В груди больной задремлют муки.

Волненья прошлых, давних дней
Мне песнь твоя напоминает;
И льются слезы из очей,
И сладко сердце замирает...

И мнится мне, что слышу я
Знакомый голос, сердцу милый;
Бывало, он влечет меня
К себе какой-то чудной силой;

И будто снова предо мной
Спокойный, тихий взор сияет
И душу сладостной тоской,
Тоской блаженства наполняет...

Так пой же! Легче дышит грудь,
И стихли в ней сомненья муки...
О, если б мог когда-нибудь
Я умереть под эти звуки!

⟨1846⟩

ЭЛЕГИЯ

(На мотив одного французского поэта)

Да, я люблю тебя, прелестное созданье,
Как бледную звезду в вечерних облаках,
Как розы аромат, как ветерка дыханье,
Как грустной песни звук на дремлющих водах;

Как грезы я люблю, как сладкое забвенье
Под шепот тростника на береге морском, —
Без ревности, без слез, без жажды упоенья:
Любовь моя к тебе   мечтанье о былом...

Гляжу ль я на тебя, прошедшие волненья
Приходят мне на ум, забытая любовь
И все, что так давно осмеяно сомненьем,
Что им заменено, что не вернется вновь.

Мне не дано в удел беспечно наслаждаться:
Передо мной лежит далекий, скорбный путь;
И я спешу, дитя, тобой налюбоваться,
Хотя на миг душой от скорби отдохнуть.

⟨1846⟩

* * *

Тобой лишь ясны дни мои,
Ты их любовью озарила,
И духа дремлющая сила
На зов откликнулась любви!

О, если б я от дней тревог
Переходя к надежде новой,
Страницу мрачного былого
Из книги жизни вырвать мог!

О, если б мог я заглушить
Укор, что часто шепчет совесть!
Но нет! бесплодной жизни повесть
Слезами горькими не смыть.

Молю того, кто весь любовь —
Он примет скорбное моленье
И, ниспослав мне искупленье,
К добру меня направит вновь,

Чтобы душа моя была
Твоей души достойна ясной,
Чтоб сердца преданности страстной
Ты постыдиться не могла!

Октябрь 1857

МОЛЧАНИЕ

⟨Из М. Гартмана⟩

Ни слова, о друг мой, ни вздоха...
Мы будем с тобой молчаливы...
Ведь молча над камнем могильным
Склоняются грустные ивы...

И только склонившись, читают,
Как я, в твоем взоре усталом,
Что были дни ясного счастья,
Что этого счастья — не стало!

⟨*1861*⟩

* * *

Тебе обязан я спасеньем
Души, измученной борьбой,
Твоя любовь — мне утешеньем,
Твои слова — закон святой!
Ты безотрадную темницу
Преобразила в рай земной,
Меня ты к жизни пробудила
И возвратила мне покой.
Теперь я снова оживился,
Гляжу вперед теперь смелей,
Мне в жизни новый путь открылся,
Идти по нем спешу скорей!

1879

МИХАИЛ ЛАРИОНОВИЧ МИХАЙЛОВ

1829—1865

НА ПУТИ

За туманами потух
Свет зари вечерней;
Раздражительнее слух,
Сердце суеверней.

Мне грозит мой путь глухой
Злою встречей, битвой;
Но душа полна тобой —
Как святой молитвой.

Май 1856

* * *

Ведь только строчка лишь одна,
Узнать, что ты жива,
Что ты здорова и ясна;
Всего лишь слова два —

И все вокруг меня светло,
И счастлив я опять,
И все, что бременем легло,
Могу я презирать.

1863 или 1864(?)

* * *

Всегда, везде ты, друг, со мной,
Пока гляжу на свет.
В моей душе любви к одной
Тебе утраты нет!

Все, чем живу, что есть в душе
Святых и чистых грез,
Не ты ли, светлый гений мой,
Для жизни мне принес!

1863 или 1864(?)

* * *

Идут года, но все сильней любовь;
И думаешь — пора угомониться.
    Но сердце любит с прежней страстью
    И хочет воротить всю негу,
Которая одним воспоминаньем
    Все сердце жжет.

1863 или 1864

ВАСИЛИЙ СТЕПАНОВИЧ КУРОЧКИН

1831—1875

* * *

Мчит меня в твои объятья
  Страстная тревога, —
И хочу тебе сказать я
  Много, много, много.

Но возлюбленной сердечко
  На ответы скупо.
И глядит моя овечка
  Глупо, глупо, глупо.

На душе мороз трескучий,
  А на щечках розы —
И в глазах, на всякий случай,
  Слезы, слезы, слезы.

⟨1856⟩

В РАЗЛУКЕ

Расстались гордо мы; ни словом, ни слезою
     Я грусти признака тебе не подала.
Мы разошлись навек... но если бы с тобою
     Я встретиться могла!

Без слез, без жалоб я склонилась пред судьбою.
     Не знаю: сделав мне так много в жизни зла,
Любил ли ты меня... но если бы с тобою
     Я встретиться могла!

⟨1856⟩

ПЕРВАЯ ЛЮБОВЬ

Годы пройдут, словно день, словно час;
Много людей промелькнет мимо нас.
Дети займут положение в свете,
И старики поглупеют, как дети.
Мы поглупеем, как все, в свой черед,
А уж любовь не придет, не придет!
     Нет, уж любовь не придет!

В зрелых умом, скудных чувствами летах
Тьму новостей прочитаем в газетах:
Про наводненья, пожары, войну,
Про отнятую у горцев страну,
Скотский падеж и осушку болот —
А уж любовь не придет, не придет!
     Нет, уж любовь не придет!

Будем, как все люди добрые, жить;
Будем влюбляться, не будем любить —
Ты продашь сердце для партии громкой,
С горя и я заведусь экономкой...
Та старика под венец поведет...
А уж любовь не придет, не придет!
  Нет, уж любовь не придет!

Первой любви не сотрется печать.
Будем друг друга всю жизнь вспоминать;
Общие сны будут сниться обоим;
Разум обманем и сердце закроем —
Но о прошедшем тоска не умрет,
И уж любовь не придет, не придет —
  Нет, уж любовь не придет!

⟨1857⟩

КОНСТАНТИН КОНСТАНТИНОВИЧ СЛУЧЕВСКИЙ

1837—1904

* * *

Рано, рано! Глаза свои снова закрой
 И вернись к неоконченным снам!
Ночь, пришлец-великан, разлеглась над землей;
 В поле темень и мрак по лесам.

Но когда — ждать недолго — час утра придет,
 Обозначит и холм, и межу,
Засверкают леса, — великан пропадет, —
 Я тебя разбужу, разбужу...

1876

* * *

Возьмите все — не пожалею!
Но одного не дам я взять —
Того, как счастлив был я с нею,
Начав любить, начав страдать!

Любви роскошные страницы —
Их дважды в жизни не прочесть,
Как стае странствующей птицы
На то же взморье не присесть.

Другие волны, нарождаясь,
Дадут отлив других теней,
И будет солнце, опускаясь,
На целый длинный год старей.

А птицам в сроки перелетов
Придется убыль понести,
Убавить путников со счетов
И растерять их по пути...

1884

* * *

Не погасай хоть ты, — ты, пламя золотое,
Любви негаданной последний огонек!
Ночь жизни так темна, покрыла все земное,
Все пусто, все мертво, и ты горишь не в срок!

Но чем темнее ночь, сильней любви сиянье;
Я на огонь иду, и я идти хочу...
Иду... Мне все равно: свои ли я желанья,
Чужие ль горести в пути ногой топчу,
Родные ль под ногой могилы попираю,
Назад ли я иду, иду ли я вперед,
Неправ я или прав, — не ведаю, не знаю
И знать я не хочу! Меня судьба ведет...
В движеньи этом жизнь так ясно ощутима,
Что даже мысль о том, что и любовь — мечта,
Как тысячи других, мелькает мимо, мимо,
И легче кажутся и мрак, и пустота...

1887

* * *

Не знал я, что разлад с тобою,
Всю жизнь разбивший пополам,
Дохнет нежданной теплотою
Навстречу поздним сединам.

Да!.. Я из этого разлада
Познал, что значит тишина, —
Как велика ее отрада
Для тех, кому она дана...

Когда б не это, — без сомненья,
Я, даже и на склоне дней,

Не оценил бы единенья
И счастья у чужих людей.

Теперь я чувства те лелею,
Люблю, как ландыш — близость мхов,
Как любит бабочка лилею —
Заметней всех других цветов.

1898

* * *

Всегда, всегда несчастлив был я тем,
Что все те женщины, что близки мне бывали,
Смеялись творчеству в стихах! Был дух их нем
К тому, что мне мечтанья навевали.

И ни в одной из них нимало, никогда
Не мог я вызывать отзывчивых мечтаний...
Не к ним я, радостный, спешил в тот час, когда
Являлся новый стих счастливых сочетаний!

Не к ним, не к ним с новинкой я спешил,
С открытою, еще дрожавшею душою,
И приносил цветок, что сам я опылил,
Цветок, дымившийся невысохшей росою.

1900

* * *

Упала молния в ручей,
Вода не стала горячей.
А что ручей до дна пронзен,
Сквозь шелест струй не слышит он.

Зато и молнии струя,
Упав, лишилась бытия.
Другого не было пути...
И я прощу, и ты прости.

1901

ЛЕОНИД НИКОЛАЕВИЧ ТРЕФОЛЕВ

1839—1905

В ГЛУХОМ САДУ

Пусть в вальсе игривом кружится
Гостей беззаботных толпа —
Хочу я в саду освежиться,
Там есть невидимка-тропа.
По ней в час последней разлуки
Я тихо и робко иду...
Гремят соловьиные звуки
    В глухом саду.

Гремят соловьиные звуки...
В саду мы блуждаем одни.
Пожми горячее мне руки,
Головку стыдливо склони!
Под пологом северной ночи,
Не видя грядущей беды,
Пусть светят мне милые очи,
    Как две звезды.

Пусть светят мне милые очи,
Пусть громче свистит соловей!

Лицо мне, под сумраком ночи,
Косой шелковистой обвей!
Не видят нас звезды, мигая
Мильонами радужных глаз...
Еще поцелуй, дорогая,
  В последний раз!

Еще поцелуй, дорогая,
Под вальс и под трель соловья!
И я, от тебя убегая,
Сокроюсь в чужие края.
Там вспомню приют наш убогий
И светлые наши мечты.
Пойдем мы неровной дорогой —
  И я, и ты.

Пойдем мы неровной дорогой
На жизненном нашем пути...
Ты издали с нежной тревогой
Тернистый мой путь освети.
Забудешь ты старое горе,
Но вальс и певца-соловья
Мы оба забудем не вскоре,
  Ни ты, ни я.

Мы оба забудем не вскоре,
Как шли невидимкой-тропой,
Как в темном саду на просторе
Смеялись над жалкой толпой.
Пора! Наступил час разлуки...
Мне слышится в чудном бреду:
Гремят соловьиные звуки
  В глухом саду.

1894

АЛЕКСЕЙ НИКОЛАЕВИЧ АПУХТИН

1840—1893

РАСЧЕТ

Я так тебя любил, как ты любить не можешь:
Безумно, пламенно... с рыданием немым.
Потухла страсть моя, недуг неизлечим, —
    Ему забвеньем не поможешь!

Все кончено... Иной я отдаюсь судьбе,
С ней я могу идти бесстрастно до могилы;
Ей весь избыток чувств, ей весь остаток силы,
    Одно проклятие — тебе.

6 июня 1858

* * *

Когда любовь охватит нас
Своими крепкими когтями,
Когда за взглядом гордых глаз
Следим мы робкими глазами,
Когда не в силах превозмочь
Мы сердца мук и, как на страже,
Повсюду нас и день и ночь
Гнетет все мысль одна и та же;
Когда в безмолвии, как тать,
К душе подкрáдется измена, —
Мы рвемся, ропщем и бежать
Хотим из тягостного плена.
Мы просим воли у судьбы,
Клянем любовь — приют обмана,
И, как восставшие рабы,
Кричим: «Долой, долой тирана!»

Но если боги, вняв мольбам,
Освободят нас от неволи,
Как пуст покажется он нам,
Спокойный мир без мук и боли.
О, как захочется нам вновь
Цепей, давно проклятых нами.
Ночей с безумными слезами
И слов, сжигающих нам кровь...
Промчатся дни без наслажденья,
Минуют годы без следа,
Пустыней скучной, без волненья
Нам жизнь покажется...
. . . . Тогда,
Как предки наши, мы с гонцами
Пошлем врагам такой привет:

«Обильно сердце в нас мечтами,
Но в нем теперь порядка нет,
Придите княжити над нами...»

1870-е годы

* * *

Мне не жаль, что тобою я не был любим, —
Я любви не достоин твоей!
Мне не жаль, что теперь я разлукой томим, —
Я в разлуке люблю горячей;

Мне не жаль, что и налил и выпил я сам
Унижения чашу до дна,
Что к проклятьям моим и к слезам, и к мольбам
Оставалася ты холодна;

Мне не жаль, что огонь, закипевший в крови,
Мое сердце сжигал и томил, —
Но мне жаль, что когда-то я жил без любви,
Но мне жаль, что я мало любил!

1870-е годы

ЛЮБОВЬ

Когда без страсти и без дела
Бесцветно дни мои текли,
Она как буря налетела
И унесла меня с земли.

Она меня лишила веры
И вдохновение зажгла.
Дала мне счастие без меры
И слезы, слезы без числа...

Сухими, жесткими словами
Терзала сердце мне порой,
И хохотала над слезами,
И издевалась над тоской;

А иногда горячим словом
И взором ласковых очей
Гнала печаль — и в блеске новом
В душе светилася моей!

Я все забыл, дышу лишь ею,
Всю жизнь я отдал ей во власть,
Благословить ее не смею
И не могу ее проклясть.

1872

* * *

Ночи безумные, ночи бессонные,
Речи несвязные, взоры усталые...
Ночи, последним огнем озаренные,
Осени мертвой цветы запоздалые!

Пусть даже время рукой беспощадною
Мне указало, что было в вас ложного,
Все же лечу я к вам памятью жадною,
В прошлом ответа ищу невозможного...

Вкрадчивым шепотом вы заглушаете
Звуки дневные, несносные, шумные...
В тихую ночь вы мой сон отгоняете,
Ночи бессонные, ночи безумные!

1876

* * *

Письмо у ней в руках. Прелестная головка
Склонилася над ним; одна в ночной тиши,
И мысль меня страшит, что, может быть, неловко
И грустно ей читать тот стон моей души...

О, только б ей прожить счастливой и любимой,
Не даром ввериться пленительным мечтам...
И помыслы мои всю ночь неудержимо,
Как волны Волхова, текут к ее ногам...

21 сентября 1884

* * *

Два сердца любящих и чающих ответа
Случайно встретились в пустыне черствой света,
Но долго робостью томилися они.
И вечной суетой наполненные дни,
И светской черни суд, без смысла, без пощады,
Им клали на пути тяжелые преграды;
И, словно нехотя, в тиши полей пустых
С рыданьем вырвалась святая тайна их.
С тех пор помчались дни, как сон волшебный, странный,
Преграды рушились, и близок день желанный,
Когда прекрасный сон не будет больше сном...

И ночи целые я думаю о нем,
Об этом близком дне... В тумане ожиданья
Грядущего еще не ясны очертанья,
И страстно допросить хочу я у судьбы:
Грозят ли им часы сомнений и борьбы,
Иль ждет их долгое, безоблачное счастье?
Душа моя полна тревоги и участья;
Порою злая мысль, подкравшись в тишине,
Змеиным языком нашептывает мне:
«Как ты смешон с твоим участием глубоким!
Умрешь ты, как и жил, скитальцем одиноким,
Ведь это счастие чужое, не твое!»
Горька мне эта мысль, но я гоню ее
И радуюсь тому, что счастие чужое
Мне счастья моего милей, дороже вдвое!

8 декабря 1884

ИВАН ЗАХАРОВИЧ СУРИКОВ

1841 —1880

* * *

«Что шумишь, качаясь,
Тонкая рябина,
Низко наклоняясь
Головою к тыну?»

«С ветром речь веду я
О своей невзгоде,
Что одна расту я
В этом огороде,

Грустно, сиротинка,
Я стою, качаюсь,
Что к земле былинка,
К тыну нагибаюсь.

Там, за тыном, в поле
Над рекой глубокой,
На просторе, в воле,
Дуб растет высокий.

Как бы я желала
К дубу перебраться;
Я б тогда не стала
Гнуться да качаться.

Близко бы ветвями
Я к нему прижалась
И с его листами
День и ночь шепталась...

Нет, нельзя рябинке
К дубу перебраться!
Знать, мне, сиротинке,
Век одной качаться».

1864

* * *

Не проси от меня
Светлых песен любви;
Грустны песни мои,
Как осенние дни!

Звуки их — шум дождя,
За окном ветра вой;
То рыданья души,
Стоны груди больной.

1869

АРСЕНИЙ АРКАДЬЕВИЧ
ГОЛЕНИЩЕВ-КУТУЗОВ

1848—1913

* * *

Снилось мне утро лазурное, чистое,
Снилась мне родины ширь необъятная,
Небо румянос, поле росистое,
Свежесть и юность моя невозвратная...

Снилось мне, будто иду я дорогою —
Ярче и ярче восток разгорается;
Сердце полно предрассветной тревогою,
Сердце от счастья любви разрывается.

Рощи и воды младенческим лепетом
Мне отвечают на чувство приветное;
Шепчут уста с умиленьем и трепетом
Имя любимое, имя заветное!..

1884

* * *

День кончен, ночь идет; страшусь я этой ночи!
Я знаю: тихий сон в приют мой не слетит,
И будет мрак ее смотреть мне прямо в очи,
И тишина ее со мной заговорит.

О чем заговорит? Какой коснется раны
В заветном тайнике души моей больной?
Какие озарит в ней бездны и туманы?
Какие призраки поставит предо мной?

Что вновь она создаст? Что прежнее разрушит?
В какую глубину свой бросит взор немой?
Всё — тайна в ней! Но страх томит меня и душит!
Пред этой шепчущей и зрячей темнотой.

О сон, покрой меня ревнивыми крылами!
О бред, зажги вокруг победные лучи!
Явись, желанный лик, и стань перед очами,
Чтоб тьмы мне не видать... О ночь, молчи, молчи!

⟨1894⟩

* * *

В сонме поздних теней ты желанной звездой
Мне блеснула на миг — и пропала.
Эта ласка мечты, эта радость тобой
Словно песня в душе прозвучала.

Прозвучала и смолкла... И звук ее слов
Замер в далях ночных сновидений —
И опять надо мной лишь немых облаков
Пролетают тревожные тени.

В них луча твоего уж глазам не найти;
Краткой песни потеряны звуки;
Умирая, слились и привет, и «прости»
В призрак встречи, любви и разлуки.

Но не властен я сердца мятеж превозмочь.
Жгучий пламень под пеплом таится —
И тоска по тебе, как заря во всю ночь,
Не дает ни забыть, ни забыться!

1904

СПИРИДОН ДМИТРИЕВИЧ ДРОЖЖИН

1848—1930

ПЕСНЯ

По дороге вьюга снежная
Крутит, пылью рассыпается,
На леса, поля безбрежные
Словно туча надвигается
И летит путем-дорогою
Над деревнею убогою.

Что мне эта непогодушка,
Холод, зимняя метелица,
Когда ждет меня зазнобушка,
Молодая красна девица,
Ждет, и грудь ее кипучая
Вся полна любовью жгучею.

Молодецкой сладкой думою
Бьется сердце одинокое,
Как войду я в ночь угрюмую
На крыльцо ее высокое,
Как открою дверь дубовую
И увижу чернобровую.

1869

ПЕСНЯ

Не жена ему
Я венча́нная,
Да люблю его,
Окаянная.
Для него ли я,
Друга милого,
Дом родной, отца,
Мать покинула.
Без него от слез
Я не вижу дня...
Словно зельем он
Опьянял меня.
По полям весной
Все гулял со мной
До тех пор, пока
Не сходил к другой...
И теперь за ней
Он гоняется,
А со мной, злодей,
И не знается.

12 февраля 1912

ПЕСНЯ

Расцвела моя черемуха в саду...
Ныне утром ты шепнула мне: «Приду!
Жди меня, как станет ночка потемней!»
Приходи же, моя радость, поскорей!

Я хочу тебе в последний раз сказать,
Можно ль, милая, мне сватов засылать
И не полно ли украдкою с тобой
Нам сходиться под черемухой густой.

25 февраля 1915

ВЛАДИМИР СЕРГЕЕВИЧ СОЛОВЬЕВ

1853—1900

* * *

Бедный друг! истомил тебя путь,
Темен взор, и венок твой измят,
Ты войди же ко мне отдохнуть.
Потускнел, догорая, закат.

Где была и откуда идешь,
Бедный друг, не спрошу я, любя;
Только имя мое назовешь —
Молча к сердцу прижму я тебя.

Смерть и Время царят на земле, —
Ты владыками их не зови;
Все, кружась, исчезает во мгле,
Неподвижно лишь солнце любви.

18 сентября 1887

* * *

Зачем слова? В безбрежности лазурной
Эфирных волн созвучные струи
Несут к тебе желаний пламень бурный
И тайный вздох немеющей любви.

И, трепеща у милого порога,
Забытых грез к тебе стремится рой.
Недалека воздушная дорога,
Один лишь миг — и я перед тобой.

И в этот миг незримого свиданья
Нездешний свет вновь озарит тебя,
И тяжкий сон житейского сознанья
Ты отряхнешь, тоскуя и любя.

Начало сентября 1892

* * *

Я добился свободы желанной,
Что манила вдали словно клад, —
Отчего же с тоскою нежданной,
Отчего я свободе не рад?

Ноет сердце, и падают руки,
Все так тускло и глухо вокруг
С рокового мгновенья разлуки,
Мой жестокий, мой сладостный друг.

3 декабря 1892

* * *

Милый друг, иль ты не видишь,
Что все видимое нами —
Только отблеск, только тени
От незримого очами?

Милый друг, иль ты не слышишь,
Что житейский шум трескучий —
Только отклик искаженный
Торжествующих созвучий?

Милый друг, иль ты не чуешь,
Что одно на целом свете —
Только то, что сердце к сердцу
Говорит в немом привете?

1892

НИКОЛАЙ АЛЕКСАНДРОВИЧ МОРОЗОВ

1854—1946

РОМАНС

Ксане

Вот здесь она жила. Склоняются, как прежде,
    Вершины старых лип над флигелем пустым.
И, кажется, глядят в окно его, в надежде,
    Что снова милый стан появится за ним.

Но нет ее в окне. Во флигеле печальном
    Давно уже царят покой и тишина,
И шелестом листов, как шепотом прощальным,
    Вся парка глубина таинственно полна.

Как грустно без нее!.. Ушло очарованье
    Любимых с детства мест и теплых летних дней...
Она уж далеко!.. Лишь вечных звезд мерцанье,
    Прекрасных, как она, мне говорит о ней.

Немая ночь кругом. Из мглистого тумана
    Чуть светится Арктур на синеве небес,
Увижу скоро я восход Альдебарана,
    И алая заря охватит дальний лес.

И глянет к ней в окно. Но в комнате унылой
　　Ее уж не найдет в постеле ранний свет,
И облик дорогой, взглянув с улыбкой милой,
　　Мне больше не пошлет свой утренний привет.

ОБЛАКА

Ксане

На гнейсовой плите — ты помнишь? в час заката
　　Сидели мы с тобой на берегу Невы.
Тревогой новых чувств душа была объята,
　　И наблюдали нас лишь Каменные львы.

В тот час в душе твоей исчезли колебанья,
　　Я за любовь твою был жизнь отдать готов...
О будущем своем мы тайных указаний
　　Искали в небесах, в фигурах облаков.

А облака неслись толпою золотистой,
　　И нежно их ласкал последний солнца луч,
Синели кое-где клочки лазури чистой,
　　Серели, по местам, слои ненастных туч.

И чудилося мне, что небо предвещало
　　Нам много ясных дней и много гроз и бед.
С тех пор для нас с тобой жизнь новая настала
　　И все несла она лишь счастье да привет.

Но вот спустилась тень... Я от тебя далеко.
В пустынные края заброшен я судьбой,
И молча я брожу по лесу одиноко,
И вся душа полна ненастьем и тоской.

И снова в облаках ищу я предвещанья...
Что мне сулит судьба в дали грядущих лет.
Когда же, наконец, наступит час свиданья,
И вновь в твоих глазах блеснет ли ясный свет?

А мне в ответ горит с безоблачной лазури
Вечерняя заря багряной полосой,
Весь запад, как в огне, объят дыханьем бури,
И лишь одна звезда чуть блещет надо мной.

* * *

Ксане

Уж ночи летние становятся темнее,
А в сердце у меня все светлые мечты!
Иду ли я с тобой в запущенной аллее,
Вокруг меня — весь мир, а в центре мира — ты!

Повеет ли на нас от поля теплым летом,
И звездочки мелькнут, как взор твой хороши,
Я чувствую: к тебе пришли они с приветом!
Как я тебя люблю, душа моей души!

ИННОКЕНТИЙ ФЕДОРОВИЧ АННЕНСКИЙ

1855—1909

СМЫЧОК И СТРУНЫ

Какой тяжелый, темный бред!
Как эти выси мутно-лунны!
Касаться скрипки столько лет
И не узнать при свете струны!

Кому ж нас надо? Кто зажег
Два желтых лика, два унылых...
И вдруг почувствовал смычок,
Что кто-то взял и кто-то слил их.

«О, как давно! Сквозь эту тьму
Скажи одно: ты та ли, та ли?»
И струны ластились к нему,
Звеня, но, ластясь, трепетали.

«Не правда ль, больше никогда
Мы не расстанемся? довольно?..»
И скрипка отвечала *да*,
Но сердцу скрипки было больно.

Смычок все понял, он затих,
А в скрипке эхо все держалось...
И было мукою для них,
Что людям музыкой казалось.

Но человек не погасил
До утра свеч... И струны пели...
Лишь солнце их нашло без сил
На черном бархате постели.

В МАРТЕ

Позабудь соловья на душистых цветах,
Только *утро* любви не забудь!
Да ожившей земли в неоживших лесах
Ярко-черную грудь!

Меж лохмотьев рубашки своей снеговой
Только раз и желала она, —
Только раз напоил ее март огневой,
Да пьянее вина!

Только раз оторвать от разбухшей земли
Не смогли мы завистливых глаз,
Только раз мы холодные руки сплели
И, дрожа, поскорее из сада ушли...
Только раз... в этот раз...

ДВА ПАРУСА ЛОДКИ ОДНОЙ

Нависнет ли пламенный зной
Иль, пенясь, расходятся волны,
Два паруса лодки одной,
Одним и дыханьем мы полны.

Нам буря желанья слила,
Мы свиты безумными снами,
Но молча судьба между нами
Черту навсегда провела.

И в ночи беззвездного юга,
Когда так привольно-темно,
Сгорая, коснуться друг друга
Одним парусам не дано...

ДВЕ ЛЮБВИ

Есть любовь, похожая на дым:
Если тесно ей — она дурманит,
Дай ей волю — и ее не станет...
Быть как дым, — но вечно молодым.

Есть любовь, похожая на тень:
Днем у ног лежит — тебе внимает,
Ночью так неслышно обнимает...
Быть как тень, но вместе ночь и день...

СРЕДИ МИРОВ

Среди миров, в мерцании светил
Одной Звезды я повторяю имя...
Не потому, чтоб я Ее любил,
А потому, что я томлюсь с другими.

И если мне сомненье тяжело,
Я у Нее одной молю ответа,
Не потому, что от Нее светло,
А потому, что с Ней не надо света.

МИНУТА

Узорные ткани так зыбки,
Горячая пыль так бела, —
Не надо ни слов, ни улыбки:
Останься такой, как была;

Останься неясной, тоскливой,
Осеннего утра бледней
Под этой поникшею ивой,
На сетчатом фоне теней...

Минута — и ветер, метнувшись,
В узорах развеет листы,
Минута — и сердце, проснувшись,
Увидит, что это — не ты...

Побудь же без слов, без улыбки,
Побудь точно призрак, пока
Узорные тени так зыбки
И белая пыль так чутка...

ЕГОР ЕФИМОВИЧ НЕЧАЕВ

1859—1925

* * *

Хоть ты уже не та, что в годы молодые,
На утре светлых дней промчавшейся весны:
Угас румянец щек, и очи голубые
Былых волшебных чар навеки лишены.
Высокое чело изрезали морщины,
Согнулся гибкий стан, и локон черный твой
Покрыли серебром глубокие кручины,
Речь гордая звучит болезненной тоской.
Хоть ты уже не та... но все же в час свиданья
Случайного с тобой на склоне наших дней
Отрадно вспомянуть минувшие страданья
За вольное житье, за лучшее людей...
И мысленно идти по избранной дороге,
Где ожидали нас и подвиг и гроза;
Сильнее дышит грудь от радостной тревоги,
И искрятся росой весеннею глаза...

1894

ПЕТР ФИЛИППОВИЧ ЯКУБОВИЧ

1860—1911

* * *

Я так люблю тебя, что если солнца луч
С горячей ласкою твой милый лик осветит,
Когда, бродя по гребням сизых туч,
Волшебный свет очей твоих заметит, —
Твою любовь, заветный сердца клад,
Я даже с солнцем разделить не рад!

Когда ж порой касается небрежно
Любимых рук нечистая рука,
А ты глядишь доверчиво и нежно,
Ко всем добра и всякому близка, —
О, если б знала ты, какое в то мгновенье
Кипит в душе моей безумье и смятенье!

Друг милый мой! Не золотой чертог
Построю я тебе, моей царице-фее:
Я с музою моей сплету тебе венок,
Цветов нарядней и свежее, —
И в том венке, рука с моей рукой,
Иди со мной, умри со мной!..

22 октября 1883

* * *

Не счастье я тебе принес —
О нет! я это знаю, знаю:
Я каждый день твой отравляю
Отравою незримых слез...
Ты плакать, гордая, не стала б,
Хотя б на казнь, на пытку шла;
Никто твоих не слышал жалоб,
Не видел хмурого чела!
Цепями нас судьба сковала:
Ни вдаль меня умчавший вал,
Освирепев, их не порвал,
Ни ты сама их не порвала!
Не раз, любовь мою прокляв,
Рвалась на волю ты со злобой —
И вновь, к груди моей припав,
Клялась любить меня до гроба!

22 октября 1884

* * *

Здесь наконец ты, родная, — со мной!..
Горы да горы... Под снегом поляны...
Море холмов под волшебной луной...
Друг мой! не волны ли то великаны,
Волн заколдованных сонм ледяной?
Мы среди них затерялись, родная,
Будто челнок в бесконечности вод.

В мире душа не узнает живая,
Если волна этот челн захлестнет!
Месяц, исполненный грусти и лени,
Тихо дорогой лазурной плывет...
Где эти краски природа берет,
Эти воздушные тоны и тени?
Как прихотливо по синим горам
Сумрак змеится! Как гребни блистают!
Что же дрожишь ты? Зачем улетают
Думы больные к далеким полям?

Небо глядит величаво, бесстрастно,
Дикой сияет земля красотой...
Прелести нет в ней знакомой, родной, —
Смотришь, дивишься — а сердце безгласно!
Тихо, так тихо, что робость берет:
С родины дальней ни вздоха, ни звука...
Вырвись и наша сердечная мука
Криком иль стоном, — он здесь и умрет!

1894

* * *

Как солнце, мне твоя улыбка дорога!
Ты взглянешь весело — я пытку забываю...
Но тверже и острей я лезвия не знаю,
Чем блеск очей твоих перед лицом врага.

То — оскорбленная души твоей святыня
Глядит, безмолвная, как гордая звезда...
Я, втайне умилен, тебе молюсь тогда:
И ненавидишь ты, и любишь, как богиня!

1905

СЕМЕН ЯКОВЛЕВИЧ НАДСОН

1862—1887

* * *

В тот тихий час, когда неслышными шагами
Немая ночь взойдет на трон свой голубой
И ризу звездную расстелет над горами, —
        Незримо я беседую с тобой.

Душой растроганной речам твоим внимая,
Я у тебя учусь и верить и любить,
И чудный гимн любви — один из гимнов рая —
        В слова стараюсь перелить.

Но жалок робкий звук земного вдохновенья:
Бессилен голос мой, и песнь моя тиха,
И горько плачу я — и диссонанс мученья
        Врывается в гармонию стиха.

1879

* * *

Верь в великую силу любви!..
Свято верь в ее крест побеждающий,
В ее свет, лучезарно спасающий,
Мир, погрязший в грязи и крови,
Верь в великую силу любви!

1882

ИЗ ПЕСЕН ЛЮБВИ

Не гордым юношей с безоблачным челом,
С избытком сил в груди и пламенной душою, —
Ты встретила меня озлобленным бойцом,
Усталым путником под жизненной грозою.
Не торопись же мне любовь свою отдать,
Не наряжай меня в цветы твоих мечтаний, —
Подумай, в силах ли ты без конца прощать,
Не испугаешься ль грядущих испытаний?

Дитя мое — ведь ты еще почти дитя,
Твой смех так серебрист и взор так чудно ясен, —
Дитя мое, ты в мир глядишь еще шутя,
И мир в очах твоих и светел и прекрасен;
А я, — я труп давно... Я рано жизнь узнал,
Я начал сердцем жить едва не с колыбели,
Я дерзко рвался ввысь, где светит идеал, —
И я устал... устал... и крылья одряхлели.

Моя любовь к тебе — дар нищего душой,
Моя любовь полна отравою сомненья;
И улыбаюсь я на взгляд твой, как больной,
Сознав, что смерть близка, — на речи ободренья.
Позволь же мне уйти, не поднимая глаз
На чистый образ твой, стоящий предо мною, —
Мне стыдно заплатить за царственный алмаз
Стеклом, оправленным дешевой мишурою!..

1883

* * *

Только утро любви хорошо: хороши
    Только первые, робкие речи,
Трепет девственно-чистой, стыдливой души,
    Недомолвки и беглые встречи,
Перекрестных намеков и взглядов игра,
    То надежда, то ревность слепая;
Незабвенная, полная счастья пора,
    На земле — наслаждения рая!..
Поцелуй — первый шаг к охлажденью: мечта
    И возможной и близкою стала;
С поцелуем роняет венок чистота,
    И кумир низведен с пьедестала;
Голос сердца чуть слышен, зато говорит
    Голос крови и мысль опьяняет:
Любит тот, кто безумней желаньем кипит,
    Любит тот, кто безумней лобзает...

Светлый храм в сладострастный гарем обращен.
    Смолкли звуки священных молений,
И греховно-пылающий жрец распален
    Знойной жаждой земных наслаждений.
Взгляд, прикованный прежде к прекрасным очам
    И горевший стыдливой мольбою,
Нагло бродит теперь по открытым плечам,
    Обнаженным бесстыдной рукою...
Дальше — миг наслажденья, и пышный цветок
    Смят и дерзостно сорван, и снова
Не отдаст его жизни кипучий поток,
    Беспощадные волны былого...
Праздник чувства окончен... погасли огни,
    Сняты маски и смыты румяна;
И томительно тянутся скучные дни
    Пошлой прозы, тоски и обмана!..

1883

* * *

Любви, одной любви! Как нищий подаянья,
Как странник, на пути застигнутый грозой,
У крова чуждого молящий состраданья,
Так я молю любви с тревогой и тоской.

1884

* * *

Не принесет, дитя, покоя и забвенья
Моя любовь душе проснувшейся твоей:
Тяжелый труд, нужда и горькие лишенья —
Вот что нас ждет в дали грядущих наших дней!
Как сладкий чад, как сон обманчиво-прекрасный,
Развею я твой мир неведенья и грез,
И мысль твою зажгу моей печалью страстной,
И жизнь твою умчу навстречу бурь и гроз!
Из сада, где вчера под липою душистой
Наш первый поцелуй раздался в тишине,
Когда румяный день, и кроткий и лучистый,
Гас на обрывках туч в небесной вышине,
Из теплого гнезда, от близких и любимых,
От мирной праздности, от солнца и цветов
Зову тебя для жертв и мук невыносимых
В ряды истерзанных, озлобленных борцов.
Зову тебя на путь тревоги и ненастья,
Где меры нет труду и счету нет врагам!..
Тупого, сытого, бессмысленного счастья
Не принесу я в дар сложить к твоим ногам.
Но если счастье — знать, что друг твой не изменит
Заветам совести и родины своей,
Что выше красоты в тебе он душу ценит,
Ее отзывчивость к страданиям людей, —
Тогда в моей груди нет за тебя тревоги,
Дай руку мне, дитя, и прочь минутный страх:
Мы будем счастливы, — так счастливы, как боги
        На недоступных небесах!..

Декабрь 1885

КОНСТАНТИН МИХАЙЛОВИЧ ФОФАНОВ

1862—1911

* * *

Не правда ль, все дышало прозой,
Когда сходились мы с тобой?
Нам соловьи, пленившись розой,
Не пели гимны в тьме ночной.

И друг влюбленных — месяц ясный —
Нам не светил в вечерний час,
И ночь дремотой сладострастной
Не убаюкивала нас.

А посмотри — в какие речи,
В какие краски я облек
И наши будничные встречи,
И наш укромный уголок!..

В них белопенные каскады
Шумят, свергаяся с холма;
В них гроты, полные прохлады,
И золотые терема.

В них ты — блистательная фея;
В них я — восторженный боец —
Тебя спасаю от злодея
И торжествую наконец.

Июнь 1885

* * *

Звезды ясные, звезды прекрасные
Нашептали цветам сказки чудные,
Лепестки улыбнулись атласные,
Задрожали листы изумрудные.

И цветы, опьяненные росами,
Рассказали ветрам сказки нежные, —
И распели их ветры мятежные
Над землей, над волной, над утесами.

И земля, под весенними ласками
Наряжаяся тканью зеленою,
Переполнила звездными сказками
Мою душу, безумно влюбленную.

И теперь, в эти дни многотрудные,
В эти темные ночи ненастные,
Отдаю я вам, звезды прекрасные,
Ваши сказки задумчиво-чудные!..

Декабрь 1885

* * *

Исполнен горького упрека
За злую повесть прежних лет,
За сон безумства и порока,
Я на ее гляжу портрет.

Я вновь люблю, страдая страстно,
И на меня, как в день обид,
Она взирает безучастно
И ничего не говорит.

Но к ней прикованный случайно,
Я не свожу с нее очей...
В ее молчаньи скрыта тайна,
А в тайне — память прошлых дней...

Октябрь 1886

* * *

Печально верба наклоняла
Зеленый локон свой к пруду;
Земля в томленьи изнывала,
Ждала вечернюю звезду.

Сияло небо необъятно,
И в нем, как стая легких снов,
Скользили розовые пятна
Завечеревших облаков.

Молчал я, полн любви и муки,
В моей душе, как облака,
Роились сны, теснились звуки
И пела смутная тоска.

И мне хотелось в то мгновенье
Живою песнью воскресить
Все перешедшее в забвенье
И незабвенное забыть!..

1887

ТЫ ПОМНИШЬ ЛИ?!

Ты помнишь ли: мягкие тени
Ложились неслышно кругом,
И тихо дрожали сирени
Под нашим открытым окном...

Все тише заветные речи
С тобою тогда мы вели
И скоро блестящие свечи
Рукой торопливой зажгли;

Ты села к роялю небрежно,
И все, чем полна ты была,
Чем долго томилась мятежно, —
Все в звуки любви облекла;

Я слушал безгрешные звуки
И грустно смотрел на огни...
То было пред днями разлуки,
Но было в счастливые дни!..

Август 1891

* * *

Мы любим, кажется, друг друга,
Но отчего же иногда
От нежных слов, как от недуга,
Бежим, исполнены стыда?

Зачем, привыкшие к злословью,
Друг друга любим мы терзать?
Ужель, кипя одной любовью,
Должны два сердца враждовать?

Сентябрь 1891

* * *

Прошла любовь, прошла гроза,
Но грусть живей меня тревожит.
Еще слеза, одна слеза,
Еще — последняя, быть может.

А там — покончен с жизнью счет,
Забуду все, чем был когда-то;
И я направлю свой полет
Туда, откуда нет возврата!

Пусть я умру, лишенный сил,
Не все кончина уничтожит.
Узнай, что я тебя любил,
Как полюбить никто не может!

С последней песнею любви
Я очи грустные смежаю...
И ты мой сон благослови,
Как я тебя благословляю!

1900

ФЕДОР КУЗЬМИЧ СОЛОГУБ

1863—1927

* * *

Ты печально мерцала
Между ярких подруг
И одна не вступала
В их пленительный круг.

Незаметная людям,
Ты открылась лишь мне,
И встречаться мы будем
В голубой тишине,

И, молчание ночи
Навсегда полюбя,
Я бессонные очи
Устремлю на тебя.

Ты без слов мне расскажешь,
Чем и как ты живешь,
И тоску мою свяжешь,
И печали сожжешь.

26 марта 1897

* * *

Ты незаметно проходила,
Ты не сияла и не жгла.
Как незажженное кадило,
Благоухать ты не могла.

Твои глаза не выражали
Ни вдохновенья, ни печали,
Молчали бледные уста,
И от людей ты хоронилась,
И от речей людских таилась
Твоя безгрешная мечта.

Конец пришел земным скитаньям,
На смертный путь вступила ты
И засияла предвещаньем
Иной, нездешней красоты.

Глаза восторгом загорелись,
Уста безмолвные зарделись,
Как ясный светоч, ты зажглась.
И, как восходит ладан синий,
Твоя молитва над пустыней,
Благоухая, вознеслась.

1 октября 1898

* * *

Твоя любовь — тот круг магический,
Который нас от жизни отделил.
Живу не прежней механической
Привычкой жить, избытком юных сил.

Осталось мне безмерно малое,
Но каждый атом здесь объят огнем.

Неистощимо неусталое
Пыланье дивное — мы вместе в нем.

Пойми предел, и устремление,
И мощь вихреобразного огня,
И ты поймешь, как утомление
Безмерно сильным делает меня.

11 июля 1920

* * *

Любви неодолима сила.
Она не ведает преград,
И даже то, что смерть скосила,
Любовный воскрешает взгляд.

Светло ликует Евридика,
И ад ее не полонит,
Когда багряная гвоздика
Ей близость друга возвестит,

И не замедлит на дороге,
И не оглянется Орфей,
Когда в стремительной тревоге
С земли нисходит он за ней.

Не верь тому, что возвестили
Преданья темной старины,
Что есть предел любовной силе,
Что ей ущербы суждены.

Хотя лукавая Психея
Запрету бога не вняла
И жаркой струйкою елея
Плечо Амуру обожгла.

Не улетает от Психеи
Крылатый бог во тьме ночей.
С невинной белизной лилеи
Навеки сочетался змей.

Любви неодолима сила.
Она не ведает преград.
Ее и смерть не победила,
Земной не устрашает ад.

Альдонса грубая сгорает,
Преображенная в любви,
И снова Дон-Кихот вещает:
«Живи, прекрасная, живи!»

И возникает Дульцинея,
Горя, как юная заря,
Невинной страстью пламенея,
Святой завет любви творя.

Не верь тому, что возвестили
Преданья, чуждые любви.
Слагай хвалы державной силе
И мощь любви благослови.

3 мая 1921

ВЯЧЕСЛАВ ИВАНОВИЧ ИВАНОВ

1866—1949

ЛЮБОВЬ

Мы — два грозой зажженные ствола,
Два пламени полуночного бора;
Мы — два в ночи летящих метеора,
Одной судьбы двужалая стрела.

Мы — два коня, чьи держит удила
Одна рука, — одна язвит их шпора;
Два ока мы единственного взора,
Мечты одной два трепетных крыла.

Мы — двух теней скорбящая чета
Над мрамором божественного гроба,
Где древняя почиет Красота.

Единых тайн двугласные уста,
Себе самим мы Сфинкс единый оба.
Мы — две руки единого креста.

⟨1901⟩

ЗАРЯ ЛЮБВИ

Как, наливаясь, рдяной плод
Полдневной кровию смуглеет,
Как в брызгах огненных смелеет,
Пред близким солнцем небосвод, —

Так ты, любовь, упреждена
Зарей души, лучом-предтечей.
Таинственно осветлена,
На солнце зарится она,
Пока слепительном натрепеи
Не обомрет — помрачена.

⟨1906⟩

СЛАВЯНСКАЯ ЖЕНСТВЕННОСТЬ

М. А. Бородаевской

Как речь славянская лелеет
Усладу жен! Какая мгла
Благоухает, лунность млеет
В медлительном глагольном *ла!*

Воздушной лаской покрывала,
Крылатым обаяньем сна
Звучит о женщине: *она,*
Поет о ней: *очаровала.*

⟨1910⟩

СЧАСТЬЕ

Солнце, сияя, теплом излучается:
Счáстливо сердце, когда расточается.
   Счáстлив, кто так даровит
Щедрой любовью, что светлому чается,
Будто со всем он живым обручается.
   Счастлив, кто жив и живит.

Счастье не то, что годиной случается
И с мимолетной годиной кончается:
   Счастья не жди, не лови.
Дух, как на царство, на счастье венчается,
В счастье, как в солнце, навек облачается:
   Счастье —'победа любви.

20 июня 1917

КОНСТАНТИН ДМИТРИЕВИЧ БАЛЬМОНТ

1867—1942

БЕАТРИЧЕ

Сонет

Я полюбил тебя, лишь увидал впервые.
Я помню, шел кругом ничтожный разговор,
Молчала только ты, и речи огневые,
Безмолвные слова мне посылал твой взор.

За днями гасли дни. Уж год прошел с тех пор.
И снова шлет весна лучи свои живые,
Цветы одели вновь причудливый убор.
А я? Я все люблю, как прежде, как впервые.

И ты по-прежнему безмолвна и грустна,
Лишь взор твой искрится и говорит порою.
Не так ли иногда владычица-луна

Свой лучезарный лик скрывает за горою, —
Но и за гранью скал, склонив свое чело,
Из тесной темноты она горит светло.

ДО ПОСЛЕДНЕГО ДНЯ

Быть может, когда ты уйдешь от меня,
Ты будешь ко мне холодней.
Но целую жизнь, до последнего дня,
О друг мой, ты будешь моей.

Я знаю, что новые страсти придут,
С другим ты забудешься вновь.
Но в памяти прежние образы ждут,
И старая тлеет любовь.

И будет мучительно-сладостный миг:
В лучах отлетевшего дня,
С другим заглянувши в бессмертный родник,
Ты вздрогнешь — и вспомнишь меня.

ПОЗДНО

Было поздно в наших думах.
Пела полночь с дальних башен.
Темный сон домов угрюмых
Был таинствен и страшен.

Было тягостно-обидно.
Даль небес была беззвездна.
Было слишком очевидно,
Что любить, любить нам — поздно.

Мы не поняли начала
Наших снов и песнопений.
И созвучье отзвучало
Без блаженных исступлений.

И на улицах угрюмых
Было скучно и морозно.
Било полночь в наших думах
Было поздно, поздно, поздно.

* * *

Она отдалась без упрека,
Она целовала без слов.
— Как темное море глубоко,
Как дышат края облаков!

Она не твердила: «Не надо»,
Обетов она не ждала.
— Как сладостно дышит прохлада,
Как тает вечерняя мгла!

Она не страшилась возмездья,
Она не боялась утрат.
— Как сказочно светят созвездья,
Как звезды бессмертно горят!

КАК НОЧЬ

Она пришла ко мне, молчащая, как ночь,
Глядящая, как ночь, фиалками-очами,
Где росы кроткие звездилися лучами,
Она пришла ко мне — такая же точь-в-точь,
Как тиховейная, как вкрадчивая ночь.

Ее единый взгляд проник до глуби тайной,
Где в зеркале немом — мое другое я,
И я — как лик ея, она — как тень моя,
Мы молча смотримся в затон необычайный,
Горящий звездностью, бездонностью и тайной.

ПОЛИКСЕНА СЕРГЕЕВНА СОЛОВЬЕВА
(Allegro)

1867—1924

* * *

Мы живем и мертвеем,
Наше сердце молчит.
Мы понять не умеем,
Что нам жизнь говорит.

Отчего мы стыдимся
Слов нескромной весны?
Отчего мы боимся
Видеть вещие сны?

Наша радость застыла
В темноте и пыли,
Наши мысли покрыла
Паутина земли.

Но душой неусталой
Мы должны подстеречь
Для любви небывалой
Небывалую речь.

⟨*1903*⟩

В ОСЕННЕМ САДУ

Тишина золотовейная в осеннем саду,
Только слышно, как колотят белье на пруду,
Да как падает где-то яблоко звуком тугим,
Да как шепчется чье-то сердце тихо с сердцем моим.

⟨*1908*⟩

ДАНИИЛ МАКСИМОВИЧ РАТГАУЗ

1868—1937

* * *

Мы сидели с тобой у заснувшей реки.
С тихой песней проплыли домой рыбаки.
Солнца луч золотой за рекой догорал...
И тебе я тогда ничего не сказал.

Загремело вдали — надвигалась гроза.
По ресницам твоим покатилась слеза.
И с безумным рыданьем к тебе я припал...
И тебе ничего, ничего не сказал.

И теперь, в эти дни, я, как прежде, один.
Уж не жду ничего от грядущих годин.
В сердце жизненный звук уж давно отзвучал...
Ах, зачем я тебе ничего не сказал!

⟨1893⟩

В ЭТУ ЛУННУЮ НОЧЬ

В эту лунную ночь, в эту дивную ночь,
В этот миг благодатный свиданья,
О мой друг! я не в силах любви превозмочь,
Удержать я не в силах признанья.

В серебре чуть колышется озера гладь,
Наклонясь, зашепталися ивы...
Но бессильны слова! — как тебе передать
Истомленного сердца порывы?

Ночь не ждет, ночь летит. Закатилась луна,
Заалело в таинственной дали...
Дорогая! прости, — снова жизни волна
Нам несет день тоски и печали.

⟨1893⟩

* * *

Обмани мою душу усталую,
Беспокойную душу мою,
И под ласку твою запоздалую
Я тебе о любви пропою.

Под волшебными счастья картинами
Хлынут в грудь тихой неги струи...
И сольются с устами невинными
Помертвелые губы мои.

Ты зажжешь своим чистым дыханием
Отсиявших желаний огни...
Хоть минутным, но пылким признанием
Обмани ты меня, обмани!

⟨1906⟩

МИРРА АЛЕКСАНДРОВНА ЛОХВИЦКАЯ
1869—1905

ПЕСНЬ ЛЮБВИ

Хотела б я свои мечты,
Желанья тайные и грезы
В живые обратить цветы, —
Но... слишком ярки были б розы!

Хотела б лиру я иметь
В груди, чтоб чувства, вечно юны,
Как песни, стали в ней звенеть,
Но... порвались бы сердца струны!

Хотела б я в минутном сне
Изведать сладость наслажденья, —
Но... умереть пришлось бы мне,
Чтоб не дождаться пробужденья!

⟨1889⟩

УМЕЙ СТРАДАТЬ

Когда в тебе клеймят и женщину, и мать —
За миг, один лишь миг, украденный у счастья,
    Безмолвствуя, храни покой бесстрастья, —
        Умей молчать!

И если радостей короткой будет нить
И твой кумир тебя осудит скоро
    На гнет тоски, и горя, и позора, —
        Умей любить!

И если на тебе избрания печать,
Но суждено тебе влачить ярмо рабыни,
    Неси свой крест с величием богини, —
        Умей страдать!

1895

СОПЕРНИЦЕ

Да, верю я, она прекрасна,
Но и с небесной красотой
Она пыталась бы напрасно
Затмить венец мой золотой.

Многоколонен и обширен
Стоит сияющий мой храм;
Там в благовонии кумирен
Не угасает фимиам.

Там я царица! Я владею
Толпою рифм, моих рабов;
Мой стих, как бич, висит над нею
И беспощаден, и суров.

Певучий дактиль плеском знойным
Сменяет ямб мой огневой;
За анапестом беспокойным
Я шлю хореев светлый рой.

И строфы звучною волною
Бегут послушны и легки,
Свивая избранному мною
Благоуханные венки...

Так проходи же! Прочь с дороги!
Рассудку слабому внемли:
Где свой алтарь воздвигли боги,
Не место призракам земли!

О, пусть зовут тебя прекрасной,
Но красота — цветок земной —
Померкнет бледной и безгласной
Пред зазвучавшею струной!

1896—1898

ЗАКЛИНАНИЕ

Ты лети, мой сон, лети,
Тронь шиповник по пути,
Отягчи кудрявый хмель,
Колыхни камыш и ель.
И, стряхнув цветенье трав
В чаши белые купав,
Брызни ласковой волной
На кувшинчик водяной.
Ты умчись в немую высь,
Рога месяца коснись,
Чуть дыша прохладой струй,
Звезды ясные задуй.
И, спустясь к отрадной мгле,
К успокоенной земле,
Тихим вздохом не шурши
В очарованной тиши.
Ты не прячься в зыбь полей,
Будь послушней, будь смелей
И, покинув гроздья ржи,
Очи властные смежи.
И в дурмане сладких грез,
Чище лилий, ярче роз,
Воскреси мой поцелуй,
Обольсти и околдуй!

⟨20 июня 1899⟩

* * *

Твои уста — два лепестка граната,
Но в них пчела услады не найдет.
    Я жадно выпила когда-то
    Их пряный хмель, их крепкий мед.

Твои ресницы — крылья черной ночи,
Но до утра их не смыкает сон.
    Я заглянула в эти очи —
    И в них мой образ отражен.

Твоя душа   восточная загадка.
В ней мир чудес, в ней сказка, но не ложь.
    И весь ты — мой, весь без остатка,
    Доколе дышишь и живешь.

1899

* * *

Я люблю тебя, как море любит солнечный восход,
Как нарцисс, к волне склоненный, — блеск и холод
                            сонных вод.
Я люблю тебя, как звезды любят месяц золотой,
Как поэт — свое созданье, вознесенное мечтой.
Я люблю тебя, как пламя — однодневки-мотыльки,
От любви изнемогая, изнывая от тоски.
Я люблю тебя, как любит звонкий ветер камыши,
Я люблю тебя всей волей, всеми струнами души.
Я люблю тебя, как любят неразгаданные сны:
Больше солнца, больше счастья, больше жизни
                            и весны.

1899

ИВАН АЛЕКСЕЕВИЧ БУНИН

1870—1953

* * *

Счастлив я, когда ты голубые
Очи поднимаешь на меня:
Светят в них надежды молодые —
Небеса безоблачного дня.

Горько мне, когда ты, опуская
Темные ресницы, замолчишь:
Любишь ты, сама того не зная,
И любовь застенчиво таишь.

Но всегда, везде и неизменно
Близ тебя светла душа моя...
Милый друг! О, будь благословенна
Красота и молодость твоя!

1896

* * *

Снова сон, пленительный и сладкий,
Снится мне и радостью пьянит, —
Милый взор зовет меня украдкой,
Ласковой улыбкою манит.

Знаю я — опять меня обманет
Этот сон при первом блеске дня,
Но пока печальный день настанет,
Улыбнись мне — обмани меня!

1898

* * *

Беру твою руку и долго смотрю на нее,
Ты в сладкой истоме глаза поднимаешь несмело:
Вот в этой руке — все твое бытие,
Я всю тебя чувствую — душу и тело.

Что надо еще? Возможно ль блаженнее быть?
Но ангел мятежный, весь буря и пламя,
Летящий над миром, чтоб смертною страстью губить,
Уж мчится над нами!

1898

* * *

Чашу с темным вином подала мне богиня печали.
Тихо выпив вино, я в смертельной истоме поник.
И сказала бесстрастно, с холодной улыбкой богиня:
«Сладок яд мой хмельной. Это лозы с могилы любви».

1902

* * *

Мы встретились случайно, на углу.
Я быстро шел — и вдруг как свет зарницы
Вечернюю прорезал полумглу
Сквозь черные лучистые ресницы.

На ней был креп, — прозрачный легкий газ
Весенний ветер взвеял на мгновенье,
Но на лице и в ярком свете глаз
Я уловил былое оживленье.

И ласково кивнула мне она,
Слегка лицо от ветра наклонила
И скрылась за углом... Была весна...
Она меня простила — и забыла.

1905

ЧУЖАЯ

Ты чужая, но любишь,
   Любишь только меня.
Ты меня не забудешь
   До последнего дня.

Ты покорно и скромно
   Шла за ним от венца.
Но лицо ты склонила —
   Он не видел лица.

Ты с ним женщиной стала,
   Но не девушка ль ты?
Сколько в каждом движенье
   Простоты, красоты!

Будут снова измены...
   Но один только раз
Так застенчиво светит
   Нежность любящих глаз.

Ты и скрыть не умеешь,
   Что ему ты чужда...
Ты меня не забудешь
   Никогда, никогда!

⟨1906⟩

ПЕСНЯ

Я — простая девка на баштане,
Он — рыбак, веселый человек.
Тонет белый парус на Лимане,
Много видел он морей и рек.

Говорят, гречанки на Босфоре
Хороши... А я черна, худа.
Утопает белый парус в море —
Может, не вернется никогда!

Буду ждать в погоду, в непогоду...
Не дождусь — с баштана разочтусь,
Выйду к морю, брошу перстень в воду
И косою черной удавлюсь.

⟨1906⟩

ПЕСНЯ

Зацвела на воле
В поле бирюза.
Да не смотрят в душу
Милые глаза.

Помню, помню нежный,
Безмятежный лен.
Да далеко где-то
Зацветает он.

Помню, помню чистый
И лучистый взгляд.
Да поднять ресницы
Люди не велят.

⟨1909⟩

* * *

Мы рядом шли, но на меня
Уже взглянуть ты не решалась,
И в ветре мартовского дня
Пустая наша речь терялась.

Белели стужей облака
Сквозь сад, где падали капели,
Бледна была твоя щека,
И, как цветы, глаза синели.

Уже полураскрытых уст
Я избегал касаться взглядом,
Но был еще блаженно пуст
Тот дивный мир, где шли мы рядом.

28 IX 1917

* * *

Мечты любви моей весенней,
Мечты на утре дней моих
Толпились — как стада оленей
У заповедных вод речных:

Малейший звук в зеленой чаще —
И вся их чуткая краса,
Весь сон блаженный и дрожащий
Уж мчался молнией в леса!

26 VIII 1922

СЛОВАРЬ

Аврора (Р и м. м и ф.) — богиня утренней зари. Соответствует греческой Эос.

Альдебаран — звезда в созвездии Тельца.

Амвра (Амбра), амброзия (г р е ч. м и ф.) — буквально: «бессмертное», пища и благовонное притирание олимпийских богов; поддерживает их бессмертие и вечную юность.

Амур (Купидон) (р и м. м и ф.) — божество любви. Соответствует греческому Эроту.

Аргус (Аргос) (г р е ч. м и ф.) — стоокий великан; в переносном смысле — зоркий страж.

Арктос — созвездие Медведицы.

Арктур — самая яркая в Северном полушарии звезда в созвездии Волопаса.

Атриды (г р е ч. м и ф.) — сыновья микенского царя Атрея — Агамемнон и Менелай.

Афродита (г р е ч. м и ф.) — богиня любви и красоты. В Риме Афродита почиталась под именем Венеры.

Вакх (Дионис) (г р е ч. м и ф.) — бог плодоносящих сил земли, растительности, виноградарства, виноделия. *Вакханки* (менады) — спутницы бога Вакха, украшенные виноградными листьями, плющом.

Воот — созвездие Водолея.

Гименей (г р е ч. м и ф.) — божество брака, сын Диониса и Афродиты. Торжественная песнь в честь новобрачных называлась гименей.

Гурия (хурия) — в мусульманской мифологии целомудренные девы, вместе с праведниками населяющие Джанну (рай).

Демон (г р е ч. м и ф.) — обобщенное представление о некоей неопределенной и неоформленной божественной силе, злой или реже благодетельной, часто определяющей жизненную судьбу человека.

Денница (с л а в. м и ф.) — образ полуденной зари (или звезды).

Евридика (Эвридика) (г р е ч. м и ф.) — жена легендарного фракийского певца Орфея.

Зевес (Зевс) (г р е ч. м и ф.) — верховное божество, властелин неба и земли, отец богов и людей.

Зефир (г р е ч. м и ф.) — обожествленный западный ветер.

Иракл (Геракл) (г р е ч. м и ф.) — легендарный герой, совершивший двенадцать подвигов, обладал большой силой духа и ловкостью.

Кадм (г р е ч. м и ф.) — легендарный основатель города Фивы в Древней Греции.

Камены (касмены) (р и м. м и ф.) — нимфы ручья в посвященной им в Риме у Капенских ворот роще, где они имели небольшое святилище и получали жертвоприношения из воды и молока, были отождествлены с музами.

Купидон (р и м. м и ф.) — см.: Амур.

Лета (г р е ч. м и ф.) — река в царстве мертвых, испив воду которой, души умерших забывают свою былую земную жизнь.

Миррю — «благовонное масло, пахучая масть или душистое маслянистое вещество». *(Вл. Даль.)*

Мирт — южный вечнозеленый кустарник с белыми душистыми цветками.

Морфей (г р е ч. м и ф.) — крылатое божество, один из сыновей Гипноса (сна). Принимая разные человеческие формы, он является людям во сне.

Мурины — мавры.

Нимфы (г р е ч. м и ф.) — божества, олицетворяющие стихийные силы природы; изображались в виде девушек.

Пирей (г р е ч. м и ф.) — «царь острова Накса, сын Харопса и Аглаи, был прекрасней всех, кроме Ахилла». *(Примеч. В. Капниста.)*

Орион (г р е ч. м и ф.) — великан, сын Посейдона, славился как охотник. Был наделен Посейдоном способностью ходить по морю.

Орковы поля (Орк (р и м. м и ф.) — божество смерти, а также само царство мертвых). — Соответствует греческому Аиду.

Орфей (г р е ч. м и ф.) — певец и музыкант, наделенный магической силой искусства, которой покорялись не только люди, но и боги, и даже природа.

Пактол — «лидийская река... впадающая в Эгейское море, между городом Смирною и Фоцеею. Во времена Креза с струями Пактола мешался золотой песок, собиранием которого обогатился сам царь сей». *(Примеч. В. Капниста.)*

Парки (р и м. м и ф.) — три богини судьбы, прядущие нить человеческой жизни.

Пафосские пилигримы. — На острове Пафос в древности было святилище Афродиты, куда стекались пилигримы со всей Греции.

Певец Тииский — Анакреонт (ок. 570—478 до н. э.), древнегреческий поэт, автор любовных стихов и застольных песен.

Пери (пэри) (м у с. м и ф.) — добрая фея, райская дева; переносно — красавица.

Пигмальон (Пигмалион) (г р е ч. м и ф.) — легендарный скульптор, царь Кипра, влюбившийся в изваянную им статую Галатеи. Богиня Афродита оживила статую, и Галатея стала женой Пигмалиона.

Психея (г р е ч. м и ф.) — олицетворение души, дыхания; изображалась в виде бабочки или молодой девушки с крыльями бабочки.

Сион — холмистая часть Иерусалима, где, согласно Библии, была резиденция легендарного царя Давида, а также храм верховного иудаистского бога Яхве.

Тантал (г р е ч. м и ф.) — сын Зевса, обреченный на вечные мучения.

Тимпан — древний ударный музыкальный инструмент.

Феб (г р е ч. м и ф.) — одно из имен бога Аполлона, покровителя поэзии и искусства.

Фимиам — благовонное вещество, применяемое при богослужениях.

Хариты (г р е ч. м и ф.) — три богини красоты и изящества (Аглая, Ефросина, Талия).

Цевница — русская многоствольная флейта.

Цитерея (г р е ч. м и ф.) — одно из имен Афродиты, которое дано ей по названию греческого острова Цитера, где был распространен ее культ.

Эвоэ — восклицание в честь Вакха (см.) на празднествах, посвященных ему.

Эвр (г р е ч. м и ф.) — божество юго-восточного ветра.

Эпидавр — древнегреческий город в Пелопоннесе, культовый центр бога врачевания Асклепия.

Эреб (г р е ч. м и ф.) — персонификация мрака, сын Хаоса и брат Ночи.

Эригона (г р е ч. м и ф.) — дочь афинянина Икария, которого Дионис (см.: Вакх) научил виноделию. В честь Эригоны и Икария ежегодно устраивались празднества.

Эрот (г р е ч. м и ф.) — см.: Амур.

Содержание

А. С. Пушкин. К*** («Я помню чудное мгновенье...») .   3

В. К. Тредиаковский
Стихи из романа «Езда в Остров Любви»
   «Перестань противляться сугубому жару...» .   5
   «Не кажи больше моей днесь памяти слабкой...» .   6

М. В. Ломоносов
«Ночною темнотою...»   7

А. П. Сумароков
Ода анакреонтическая   9
«Летите, мои вздохи, вы к той, кого люблю...» . .   10
Сонет («Не трать, красавица, ты времени напрасно ») .   10
Элегия («В болезни страждешь ты... В моем нет сердце мочи...») .   11
«Прости, моя любезная, мой свет, прости...» . . .   12
«Если девушки метрессы...»   13

А. А. Ржевский
Идиллия   14

И. Ф. Богданович
Песня («Пятнадцать мне минуло лет...»)   15

Г. Р. Державин
Призывание и явление Плениры   18
Параше   19
Русские девушки   20
Шуточное желание   21
Задумчивость   22

А. Н. Радищев

Песня («Ужасный в сердце ад...») 23
Сафические строфы 25

Е. И. Костров

Клятва 27
Песня («Прости, любезный мой пастух...») 28

Н. А. Львов

Из Анакреона
   Ода I. К лире 29
   Ода XL. Ерот 30
   Ода LV. О любовниках 30

Ю. А. Нелединский-Мелецкий

Песня («Ах! тошно мне...») 31
«Выйду я на реченьку...» 32

В. В. Капнист

Вздох 35
Силуэт 36
Любовная клятва 36
Мщение любовника 37
Скромное признание в любви 39

И. И. Дмитриев

«Стонет сизый голубочек...» 40
«Ах! когда б я прежде знала...» 41
Наслаждение 42
«Что с тобою, ангел, стало?..» 43

П. А. Пельский

Любовь и дружба (*Триолеты*) 45

Н. М. Карамзин

Прости 46
〈Песня из повести «Остров Борнгольм»〉 48

А. Ф. Мерзляков

«Среди долины ровныя...» 50

И. И. Козлов

Княгине З. А. Волконской 52
Венецианская ночь. *Фантазия* 53

В. А. Жуковский

Песня («Когда я был любим, в восторгах, в наслажденье...») 57
Песня («Мой друг, хранитель-ангел мой...») 58
К ней 59
Песня («О милый друг! теперь с тобою радость!..») . . 60
Жалоба. *Романс* 61
Голос с того света 62
Песня («Кольцо души-девицы...») 63
Воспоминание 65
Утешение в слезах 65
Песня («Минувших дней очарованье...») 67
9 марта 1823 68

Н. И. Гнедич

Дума 69

Д. В. Давыдов

⟨Элегия V⟩ («Всё тихо! и заря багряною чертой...») . 70
⟨Элегия VIII⟩ («О пощади! — Зачем волшебство ласк и слов...») 71
Гусар («Напрасно думаете вы...») 72
1. «Когда я повстречал красавицу мою...» 73
2. «Вошла, как Психея, томна и стыдлива...» . . . 73
3. «В тебе, в тебе одной природа, не искусство...» . 74
«Не пробуждай, не пробуждай...» 74
«Я вас люблю так, как любить вас должно...» . . . 75
«Я не ропщу. Я вознесен судьбою...» 75

Ф. Н. Глинка

Сон русского на чужбине 76

К. Н. Батюшков

Выздоровление 78
Привидение. *Из Парни* 79
Ложный страх. *Подражание Парни* 81
Вакханка 82
Мой Гений 83
Пробуждение 84

П. А. Вяземский

К мнимой счастливице 85
Простоволосая головка 89

П. А. Катенин

Любовь 91

М. В. Милонов

Падение листьев. *Элегия* 92

А. С. Грибоедов

Романс 94

В. Ф. Раевский

«О милая, прости минутному стремленью...» . . 95

К. Ф. Рылеев

K N. N. («Ты посетить, мой друг, желала...») . . . 96

И. П. Мятлев

Розы («Как хороши, как свежи были розы...») . . . 98

А. А. Бестужев

Оживление 100
Разлука 101

В. К. Кюхельбекер

Пробуждение 102
Любовь 103

Н. Г. Цыганов

«— Не шей ты мне, матушка...» 104

А. А. Дельвиг

Первая встреча 106
Любовь 107
Фани (*Горацианская ода*) 108
Элегия («Когда, душа, просилась ты...») . . . 109
Сонет («Я плыл один с прекрасною в гондоле...») . 110
Романс («Не говори: любовь пройдет...») . . . 110
Романс («Прекрасный день, счастливый день...») . 111
Романс («Только узнал я тебя...») 112
Разочарование 113
Русская песня («Соловей мой, соловей...») . . . 114
Слезы любви 115
«За что, за что ты отравила...» 115

А. С. Пушкин

Певец 117
«Редеет облаков летучая гряда...» 118
Ночь 118
«Простишь ли мне ревнивые мечты...» 119
Сожженное письмо 120
Желание славы 121
«Храни меня, мой талисман...» 122
«Все в жертву памяти твоей...» 123
«В крови горит огонь желанья...» 123
Признание 124
К** («Ты богоматерь, нет сомненья...») 125
Ек. Н. Ушаковой («В отдалении от вас...») . . . 126
Ты и вы 126
Ее глаза (В ответ на стихи князя Вяземского) . . . 127
«Не пой, красавица, при мне...» 127
«Когда в объятия мои...» 128
«Подъезжая под Ижоры...» 129
«На холмах Грузии лежит ночная мгла...» . . . 130
Калмычке 131
Зимнее утро 132
«Я вас любил: любовь еще, быть может...» . . . 133
«Что в имени тебе моем?..» 133
Мадонна. Сонет 134
Элегия («Безумных лет угасшее веселье...») 135
Прощанье («В последний раз твой образ милый...») . . 135
«Для берегов отчизны дальной...» 136
Красавица (В альбом Г****) 137
К*** («Нет, нет, не должен я, не смею, не могу...») . . 138
«Я думал, сердце позабыло...» 139
«Нет, я не дорожу мятежным наслажденьем...» . . . 139

Е. А. Баратынский

Разлука 140
Разуверение 140
Поцелуй 141
Догадка 142
Размолвка 142
Признание 143
Оправдание 144
Любовь 146
Ожидание 146
Она 147

Уверение 147
«Когда, дитя и страсти и сомненья...» 148

В. И. Туманский

На кончину Р⟨изнич⟩. *Сонет* 149

А. И. Одоевский

«Звучит вся жизнь, как звонкий смех...» 150
Кн. М. Н. Волконской 151

Ф. И. Тютчев

«Я помню время золотое...» 152
«Люблю глаза твои, мой друг...» 153
«Еще томлюсь тоской желаний...» 154
«О, как убийственно мы любим...» 154
Предопределение 156
«Не говори: меня он, как и прежде, любит...» . . 156
«Я очи знал, — о, эти очи!..» 157
Последняя любовь 158
«О вещая душа моя!..» 158
«Она сидела на полу...» 159
«Весь день она лежала в забытьи...» 160
«Есть и в моем страдальческом застое...» . . . 160
«Сегодня, друг, пятнадцать лет минуло...» . . . 162
Накануне годовщины 4 августа 1864 г. 162
«Нет дня, чтобы душа не ныла...» 163
«Две силы есть — две роковые силы...» 163
К. Б. («Я встретил вас — и все былое...») . . . 165

Н. М. Языков

К А. Н. Вульфу 166
Элегия («Меня любовь преобразила...») 167
Элегия («Любовь, любовь! веселым днем...») . . . 167
Песня («Разгульна, светла и любовна...») . . . 168
А. И. 169
Элегия («Мне ль позабыть огонь и живость...») . . 170
Перстень 170

Д. П. Ознобишин

Миг восторга 172
К N. 173
К N. N. 173
Воспоминание 174
Чудная бандура 175

А. И. Полежаев

Цыганка 177
Призвание 178

Д. В. Веневитинов

К моему перстню 180
Элегия («Волшебница! Как сладко пела ты...») . . . 182

А. И. Подолинский

Портрет 183
Сонет («Не потому томительным виденьем...») . . . 184

В. Г. Бенедиктов

Люблю тебя 185
Кудри 186
Я знаю 188

К. К. Павлова

10-го ноября 1840 189
Две кометы 190
«За тяжкий час, когда я дорогою...» 191

А. В. Кольцов

Песня («Если встречусь с тобой...») 193
Кольцо. *Песня* 194
Не шуми ты, рожь 195
Русская песня («Так и рвется душа...») 196
Разлука 197
Ночь 198
Русская песня («Я любила его...») 200

Н. В. Кукольник

«О боже мой, как я ее люблю!..» 202
Английский романс 203
Жаворонок 205

В. И. Красов

Элегия («Не говорите ей: ты любишь безрассудно...») . 206
Разлука 207
Метель 208
Воспоминание 209
Стансы («Ты помнишь ли последнее свиданье?..») . . 210
Обыкновенная история 211

И. П. Клюшников

«Я не люблю тебя: мне суждено судьбою...» 212
На смерть девушки 213
Ей 214
«Когда, горя преступным жаром...» 214

Е. П. Гребенка

Песня («Молода еще я девица была...») 216
Черные очи 217

Е. П. Ростопчина

⟨Из «Неизвестного романа»⟩
Тебе одному 218
Вместо упрека 219
⟨Из романа в стихах «Дневник девушки»⟩
«Любя *его*, принадлежать другому!..» 221

Н. П. Огарев

«О, возвратись, любви прекрасное мгновенье...» . . 223
«Тебе я счастья не давал довольно...» 224
«Она никогда его не любила...» 224
«Я помню робкое желанье...» 225
К ⟨М. Л. Огаревой⟩ 226
К Н.⟨А. Тучковой⟩ («На наш союз святой и вольный...») 228
Первая любовь 229

Н. В. Станкевич

Прости! 230
На могиле Эмилии 231

Э. И. Губер

Душе 233
Любовь 234

М. Ю. Лермонтов

Раскаянье 235
Н. Ф. И....вой 236
К Су⟨шковой⟩ («Вблизи тебя до этих пор...») . . 238
«Итак, прощай! Впервые этот звук...» 238
Первая любовь 239
К*** («Не ты, но судьба виновата была...») . . . 239
К себе 241
Романс к И... («Когда я унесу в чужбину...») . . . 241
К. Н. И...... («Я не достоин, может быть...») . . . 242
«Она была прекрасна, как мечта...» 243

«Время сердцу быть в покое...» 244
К* («Я не унижусь пред тобою...») 245
«Поцелуями прежде считал...» 247
К* («Оставь напрасные заботы...») 247
«Она не гордой красотою...» 248
Молитва («Я, матерь божия, ныне с молитвою...») . . 249
«Расстались мы, но твой портрет...» 250
«Я не хочу, чтоб свет узнал...» 250
«Она поет — и звуки тают...» 251
«Как небеса твой взор блистает...» 252
«Слышу ли голос твой...» 252
Отчего 253
А. О. Смирновой («Без вас хочу сказать вам много...») . 254
Утес 254
«Они любили друг друга так долго и нежно...» . . 255
«Нет, не тебя так пылко я люблю...» 255
Морская царевна 256
«Из-под таинственной, холодной полумаски...» . . . 258

Н. С. Теплова

Язык очей 259
Сожаление 260

С. Ф. Дуров

«Жаркое чувство любви не надолго в душе остается...» . 261

К. С. Аксаков

«Помнишь ли ты, помнишь ли ты?..» 262
Стихотворения в духе недавно прошедшей поэзии
  1. «Мой друг, любовь мы оба знали...» 263
  2. «Твои уста, твой взор молили...» 264

А. К. Толстой

«Средь шумного бала, случайно...» 266
«Ты не спрашивай, не распытывай...» 267
«Не ветер, вея с высоты...» 268
«Не верь мне, друг, когда, в избытке горя...» . . . 268
«Вот уж снег последний в поле тает...» 269
«Острою секирой ранена береза...» 269
«Слеза дрожит в твоем ревнивом взоре...» 270
«С тех пор как я один, с тех пор как ты далеко...» . 271
«Осень. Обсыпается весь наш бедный сад...» . . . 271
«На нивы желтые нисходит тишина...» 272
«То было раннею весной...» 272

И. С. Тургенев

«Дай мне руку — и пойдем мы в поле...» 274
К А. С. 275
«К чему твержу я стих унылый...» 277
⟨В дороге⟩ («Утро туманное, утро седое...») 278

А. Е. Разоренов

«Не брани меня, родная...» 279

Я. П. Полонский

«Пришли и стали тени ночи...» 281
Встреча 282
Последний разговор 283
Затворница 284
Песня цыганки 285
Колокольчик 286
Утрата 287
«Я читаю книгу песен...» 288
Поцелуй 289
«Заплетя свои темные косы венцом...» 290
Царь-девица 290

А. А. Фет

«Не отходи от меня...» 293
«На заре ты ее не буди...» 294
«Я пришел к тебе с приветом...» 295
«О, долго буду я, в молчаньи ночи тайной...» 295
«Шепот, робкое дыханье...» 296
«Какие-то носятся звуки...» 297
«Какое счастие: и ночь, и мы одни!..» 297
Старые письма 298
«Только встречу улыбку твою...» 299
«Сияла ночь. Луной был полон сад. Лежали...» . . . 300
«Я тебе ничего не скажу...» 300
«Солнца луч промеж лип был и жгуч и высок...» . . 301
«Долго снились мне вопли рыданий твоих...» 302
«Нет, я не изменил. До старости глубокой...» . . . 303
«Когда читала ты мучительные строки...» 303

А. М. Жемчужников

«Странно! мы почти что незнакомы...» 305
Ночное свидание 306
«Если б ты видеть могла мое горе...» 307

А. Н. Майков

«О чем в тиши ночей таинственно мечтаю...» 308
«Люблю, если тихо к плечу моему головой прислонив-
шись...» 308
Fortunata («Ах, люби меня без размышлений...») . . 309
«Я б тебя поцеловала...» 310
Поцелуй 310
«Точно голубь светлою весною...» 311

Н. А. Некрасов

«Когда из мрака заблужденья...» 313
Тройка 314
«Ты всегда хороша несравненно...» 316
«Да, наша жизнь текла мятежно...» 317
«Я не люблю иронии твоей...» 319
«Мы с тобой бестолковые люди...» 320
«О письма женщины, нам милой!..» 320
«Давно — отвергнутый тобою...» 321
«Тяжелый крест достался ей на долю...» 322
Прощанье 324
Прости 324
«Ни стыда, ни состраданья...» 325

Н. Ф. Щербина

Письмо 326
В деревне 327
Женщине 328

А. А. Григорьев

«Над тобою мне тайная сила дана...» 330
Из цикла «Борьба»
    «Я ее не люблю, не люблю...» 331
    «О, говори хоть ты со мной...» 332
⟨Из «Импровизаций странствующего романтика»⟩
    «Твои движенья гибкие...» 333

Л. А. Мей

«Не знаю, отчего так грустно мне при ней?..» . . . 335
Ты печальна 336
«Хотел бы в единое слово...» ⟨Из Г. Гейне⟩ . . . 336
Зачем? 337

А. И. Пальм

«Напрасно прозрачные глазки твои...» 339

Ю. В. Жадовская

«Ты скоро меня позабудешь...» 340
«Я все еще его, безумная, люблю!..» 341
Взгляд 341
«Любви не может быть меж нами...» 342

И. С. Никитин

«Как мне легко, как счастлив я в тот миг...» . . 343
«Не повторяй холодной укоризны...» 344
«Уж не я ли тебя, милая, упрашивал...» 345
«Пошутила я — и другу слово молвила...» . . . 346
«Чуть сошлись мы — друг друга узнали...» . . . 347

А. Н. Плещеев

Звуки 348
Элегия (*На мотив одного французского поэта*) . . 349
«Тобой лишь ясны дни мои...» 350
Молчание ⟨*Из М. Гартмана*⟩ 351
«Тебе обязан я спасеньем...» 351

М. Л. Михайлов

На пути 352
«Ведь только строчка лишь одна...» 353
«Всегда, везде ты, друг, со мной...» 353
«Идут года, но все сильней любовь...» 354

В. С. Курочкин

«Мчит меня в твои объятья...» 355
В разлуке 356
Первая любовь 356

К. К. Случевский

«Рано, рано! Глаза свои снова закрой...» 358
«Возьмите все — не пожалею!..» 359
«Не погасай хоть ты, — ты, пламя золотое...» . . 359
«Не знал я, что разлад с тобою...» 360
«Всегда, всегда несчастлив был я тем...» 361
«Упала молния в ручей...» 362

Л. Н. Трефолев

В глухом саду 363

А. Н. Апухтин

Расчет 365

«Когда любовь охватит нас...» 366
«Мне не жаль, что тобою я не был любим...» . . 367
Любовь 368
«Ночи безумные, ночи бессонные...» 369
«Письмо у ней в руках. Прелестная головка...» . 369
«Два сердца любящих и чающих ответа...» . . . 370

И. З. Суриков

«Что шумишь, качаясь...» 371
«Не проси от меня...» 372

А. А. Голенищев-Кутузов

«Снилось мне утро лазурное, чистое...» 373
«День кончен, ночь идет; страшусь я этой ночи!..» . 374
«В сонме поздних теней ты желанной звездой...» . . 375

С. Д. Дрожжин

Песня («По дороге вьюга снежная...») 376
Песня («Не жена ему...») 377
Песня («Расцвела моя черемуха в саду...») . . . 378

В. С. Соловьев

«Бедный друг! истомил тебя путь...» 379
«Зачем слова? В безбрежности лазурной...» . . . 380
«Я добился свободы желанной...» 380
«Милый друг, иль ты не видишь...» 381

Н. А. Морозов

Романс 382
Облака 383
«Уж ночи летние становятся темнее...» 384

И. Ф. Анненский

Смычок и струны 385
В марте 386
Два паруса лодки одной 387
Две любви 387
Среди миров 388
Минута 388

Е. Е. Нечаев

«Хоть ты уже не та, что в годы молодые...» . . . 389

П. Ф. Якубович

«Я так люблю тебя, что если солнца луч...» 390
«Не счастье я тебе принес...» 391
«Здесь наконец ты, родная, — со мной!..» 391
«Как солнце, мне твоя улыбка дорога!..» 392

С. Я. Надсон

«В тот тихий час, когда неслышными шагами...» . . . 393
«Верь в великую силу любви!..» 394
Из песен любви 394
«Только утро любви хорошо: хороши...» 395
«Любви, одной любви! Как нищий подаянья...» 396
«Не принесет, дитя, покоя и забвенья...» 397

К. М. Фофанов

«Не правда ль, все дышало прозой...» 398
«Звезды ясные, звезды прекрасные...» 399
«Исполнен горького упрека...» 400
«Печально верба наклоняла...» 400
Ты помнишь ли?! 401
«Мы любим, кажется, друг друга...» 402
«Прошла любовь, прошла гроза...» 402

Ф. К. Сологуб

«Ты печально мерцала...» 404
«Ты незаметно проходила...» 405
«Твоя любовь — тот круг магический...» 405
«Любви неодолима сила...» 406

Вяч. И. Иванов

Любовь 408
Заря любви 409
Славянская женственность 409
Счастье 410

К. Д. Бальмонт

Беатриче. *Сонет* 411
До последнего дня 412
Поздно 412
«Она отдалась без упрека...» 413
Как ночь 414

П. С. Соловьева

«Мы живем и мертвеем...» 415
В осеннем саду 416

Д. М. Ратгауз

«Мы сидели с тобой у заснувшей реки...» 417
В эту лунную ночь 418
«Обмани мою душу усталую...» 418

М. А. Лохвицкая

Песнь любви 419
Умей страдать 420
Сопернице 420
Заклинание 422
«Твои уста — два лепестка граната...» 423
«Я люблю тебя, как море любит солнечный восход...» . 423

И. А. Бунин

«Счастлив я, когда ты голубые...» 424
«Снова сон, пленительный и сладкий...» 425
«Беру твою руку и долго смотрю на нее...» 425
«Чашу с темным вином подала мне богиня печали...» . 426
«Мы встретились случайно, на углу...» 426
Чужая 427
Песня («Я — простая девка на баштане...») 428
Песня («Зацвела на воле...») 428
«Мы рядом шли, но на меня...» 429
«Мечты любви моей весенней...» 429

Словарь 430

Ч-84   **Чудное мгновенье.** Любовная лирика русских поэтов. Кн. 1 / Сост. Л. Озерова. — М., Худож. лит., 1988. — 447 с. (Классики и современники. Поэтич. б-ка).

ISBN 5-280-00050-7 (Кн. 1)
ISBN 5-280-00049-3

В сборник «Чудное мгновенье» входят лирические стихотворения поэтов XVIII—XX вв.

В первую книгу включены подборки шедевров лирических откровений классиков национальной поэзии А. Пушкина, М. Лермонтова, Е. Баратынского, Ф. Тютчева, И. Бунина и отдельные стихотворения менее известных поэтов, многие афористичные строки которых давно уже стали «крылатыми словами». Стихотворения дают достаточно полное представление не только о становлении и развитии этого жанра с точки зрения раскрытия тончайших нюансов внутреннего мира лирического «я» поэта, но и отражают проникновение в интимную лирику гражданских мотивов, что позволяет говорить о неповторимом своеобразии нашей отечественной поэзии.

          4702010100-121
Ч —————————————— 29-88   ББК 84РI
          028(01)-88

КЛАССИКИ И СОВРЕМЕННИКИ

Поэтическая библиотека

ЧУДНОЕ МГНОВЕНЬЕ
Любовная лирика русских поэтов

Книга 1

Составитель
Лев Адольфович Озеров

Редакторы Ю. Розенблюм, О. Ларкина

Художественный редактор А. Моисеев

Технический редактор Н. Кошелева

Корректоры Г. Володина, Т. Медведева

ИБ № 4895

Сдано в набор 08.05.87. Подписано в печать 10.11.87. Формат 70×100¹/₃₂. Бумага кн.-журн. № 2. Гарнитура «Тип. таймс». Печать офсетная. Усл. печ. л. 18,14. Усл. кр.-отт. 36,61. Уч.-изд. л. 14,40. Изд. № I-2610. Заказ 1133. Тираж 2 100 000 экз. (7-й завод 1 900 001—2 100 000). Цена 1 р. 30 к.

Ордена Трудового Красного Знамени издательство «Художественная литература», 107882, ГСП, Москва, Б-78, Ново-Басманная, 19
Ордена Трудового Красного Знамени Калининский полиграфический комбинат Союзполиграфпрома при Государственном комитете СССР по делам издательств, полиграфии и книжной торговли. г. Калинин, пр. Ленина, 5